# NUMEROLOGIA

D1273112

Jean-Daniel Fermier

# NUMEROLOGIA

## Miłość – Sukces – Zdrowie – Pieniądze

Z języka francuskiego przełożyła
Anna Stępień

Tytuł oryginału:
NUMÉROLOGIE LE GUIDE PRATIQUE

Projekt okładki
*Roman Kirilenko*

Redakcja
*Ewa Marrodan-Casas*

Korekta
*Danuta Wołodko,*
*Maria Fijołek*

Konsultacja
*Agata Fijołek*

Copyright © Presses du Châtelet, 2001

Copyright © for the Polish edition
by Bauer-Weltbild Media Sp. z o.o., Sp. K., Warszawa 2002

Bauer-Weltbild Media Sp. z o.o., Sp. K.
Klub dla Ciebie

www.kdc.pl

*Dziewięćdziesiąta siódma publikacja Klubu dla Ciebie*

ISBN 978-83-89076-07-6

Skład i łamanie
Laguna
Druk i oprawa
Białostockie Zakłady Graficzne S.A.

# Spis treści

# Wstęp

Na początku trzeciego tysiąclecia podstawowe pytania dotyczące człowieka i jego ewolucji na Ziemi pozostają bez odpowiedzi.

Kto może je znać? Guru, politycy, księża, ekonomiści, dyrektorzy firm, media, wielcy przywódcy duchowi? Z całą pewnością nie oni. Jedyne wartościowe odpowiedzi pochodzą od nas samych, z naszego wnętrza.

Aby do nich dotrzeć, musimy przede wszystkim poznać samych siebie. Dlaczego? Ponieważ rozumiejąc, jak funkcjonujemy wewnętrznie i zewnętrznie, wsłuchując się w siebie, możemy żyć w harmonii, „spełniać się – jak mówi Dan Millman – wybrać właściwą drogę, która zaprowadzi nas na szczyty świadomości".

Istnieje wiele metod, jednak te najskuteczniejsze wcale nie muszą być najnowsze. Badanie symboliki liczb – wiedza, która liczy sobie kilka tysięcy lat – stosowana jest do dziś w krajach anglosaskich i na kontynencie azjatyckim. Swej popularności nie zawdzięcza bynajmniej wyłącznie modzie.

Numerologią zajmuję się już od dwudziestu pięciu lat. Zafascynowany, spróbowałem wykorzystać ją w różnych dziedzinach, również w mojej pracy doradcy w przedsiębiorstwie. Jest to dla mnie wiedza kompleksowa, mająca rozliczne zastosowania. Przekonanie o tym skłoniło mnie do stworzenia praktycznej metody, łatwej dla neofitów i przydatnej dla osób bardziej zaawansowanych. Wiedza jest wspólnym dobrem ludzkości i powinna być powszechnie dostępna. W tym przewodniku znajdziecie treściwe i łatwe do zastosowania tabele interpretacji.

Dzięki nim bardzo szybko odkryjecie mocne strony danej osobowości, główne aspekty jej drogi życia lub wybranego roku. Będziecie mogli, nie znając jeszcze w pełni numerologii, od razu odnaleźć wpływ miesiąca lub trwającego dnia. Przewodnik ten zawiera również badanie astrocykli, najnowszą dziedzinę współczesnej numerologii.

Liczby dają wiele wskazówek, chociaż tak naprawdę nic nie jest z góry przesądzone, a ostatnie słowo należy do człowieka. To on posiada bowiem całkowitą władzę nad samym sobą i własnym życiem. Determinizm przeplata się z wolną wolą i każdy powinien sam odnaleźć sposób na harmonijne życie i odpowiednie dla siebie miejsce na Ziemi.

Nawet jeśli numerologia może dostarczyć nam cennych wskazówek, to nikt nie wykona za nas niezbędnej pracy. Mam więc nadzieję, że książka ta okaże się przydatna nie tylko Wam, ale również Waszym bliskim.

# Wprowadzenie

Przewodnik składa się z ośmiu rozdziałów. Każdy z nich zawiera:
- przedstawienie metody wraz z wyliczeniami i działaniami do wykonania
- przykładowe zastosowanie
- tabele interpretacji (rozwinięte do dziewięciu liczb oraz dwudziestu dwóch liczb)
- pełną interpretację opartą na przykładzie.

Tematy poruszone w kolejnych rozdziałach:
- Rozdział 1: osobowość
- Rozdział 2: droga życia
- Rozdział 3: badanie roczne
- Rozdział 4: badanie miesiąca i dnia
- Rozdział 5: dodatkowe cykle roczne i miesięczne (podcykle daty urodzenia, cykle tony i astrocykle miesięczne).

Trzy rozdziały praktycznego zastosowania:
- Rozdział 6: związek–współpraca
- Rozdział 7: szczęście
- Rozdział 8: praktyczne tabele (zbiór tabel zastosowania oraz kalkulacji i wskazówek z nich wynikających).

W aneksie znajdują się główne podliczby (przed uproszczeniem do liczb od 1 do 9).

Aby zbadać swój rocznik, miesiąc lub dzień, należy skorzystać bezpośrednio z rozdziału 8 i interpretacji rozdziału 3 i 4.

Aby dokładniej zbadać rok i miesiąc, trzeba odnieść się do rozdziału 5. Omówione tam zagadnienie astrocykli to w znacznej mierze wynik osobistych badań autora.

Rozdział 1

# OSOBOWOŚĆ

## I. RÓŻNE METODY I ICH ZASTOSOWANIE

Badanie osobowości opiera się na imieniu, nazwisku, dniu i miesiącu urodzenia.

Podstawowe reguły:
- korzystamy z imienia nadanego w dniu urodzenia (bez względu na późniejsze modyfikacje)
- w wypadku kobiet uwzględniamy nazwisko panieńskie
- w razie podwójnego nazwiska korzystamy z pierwszego
- gdy zastosujemy inne imię, niż nadane w dniu urodzin, lub pseudonim, analiza będzie nieprawdziwa.

### 1) SZYFROWANIE LITER IMIENIA I NAZWISKA

Zamieniamy litery imienia i nazwiska według następujących zależności:

**A = 1 B = 2 C = 3 D = 4 E = 5 F = 6 G = 7 H = 8 I = 9**
**J = 1 K = 2 L = 3 M = 4 N = 5 O = 6 P = 7 Q = 8 R = 9**
**S = 1 T = 2 U = 3 V = 4 W = 5 X = 6 Y = 7 Z = 8**

Jeśli imię jest złożone, jak Marie-Claire lub Jean-Marc, traktujemy je jako pojedyncze (Marieclaire lub Jeanmarc).

Przykład:

M A R G A R E T    R O B I N S O N
4 1 9 7 1 9 5 2    9 6 2 9 5 1 6 5

### 2) SUMOWANIE I UPRASZCZANIE LITER Z IMIENIA I Z NAZWISKA

M A R G A R E T R O B I N S O N
4+1+9+7+1+9+5+2 9+6+2+9+5+1+6+5

Uproszczenie ma na celu otrzymanie liczby zawartej w przedziale od 1 do 9. Sumujemy liczby każdego wyniku, aż otrzymamy liczbę jednocyfrową.
I tak:

M A R G A R E T
4+1+9+7+1+9+5+2= 38
38 = 3 + 8 = 11
11 = 1 + 1 = 2
Liczbą wywodzącą się z imienia jest 2.

R O B I N S O N
9+6+2+9+5+1+6+5= 43
43=4+3=7
Liczbą wywodzącą się z nazwiska jest 7.

Dodajemy sumy z imienia i nazwiska
MARGARET = 38
ROBINSON = 43
Czyli: 38+43=81=8+1=9
Końcowa liczba (nazwisko + imię) = 9.

Ta ostatnia liczba pochodzi tak od 81, jak i od imienia 2 i nazwiska 7.
Liczba 9 jest sumą zaszyfrowanych liter IMIENIA + NAZWISKA.
Jest to LICZBA WYRAZU lub liczba OSOBOWOŚCI.
Liczba IMIENIA ma aktywny wpływ na liczbę OSOBOWOŚCI. Dlatego też jest nazywana LICZBĄ AKTYWNĄ.
Liczbą NAZWISKA jest 7. Ma ona mniejszy niż imię wpływ na osobowość, ale reprezentuje jej społeczny aspekt i cechy dziedziczne. Nazywana jest LICZBĄ DZIEDZICZNĄ.

### 3) SUMOWANIE I UPRASZCZANIE SAMOGŁOSEK Z IMIENIA I Z NAZWISKA

M A R G A R E T
1 + 1 + 5 = 7

R O B I N S O N
6 + 9 + 6 = 21

MARGARET = 7
ROBINSON = 21
Czyli w sumie 28 = 2 + 8 = 10 = 1 + 0 = 1
Zaszyfrowana suma SAMOGŁOSEK IMIENIA i NAZWISKA to 1.

Liczba 1 pochodzi od 28 i 10, tak samo jak od 7 (samogłoski imienia, aktywny wpływ na ostateczną liczbę) i 8 (samogłoski nazwiska).

Liczba 1 to LICZBA DUSZY. Przedstawia wewnętrzne doświadczenia, wysokie aspiracje, głębokie pragnienia, potrzeby, emocjonalną i uczuciową strefę życia.

### 4) SUMOWANIE I UPRASZCZANIE SPÓŁGŁOSEK Z IMIENIA I NAZWISKA

M A R G A R E T
4 + 9 + 7 + 9 + 2 = 31 = 4

R O B I N S O N
9 + 2 + 5 + 1 + 5 = 22 = 4

MARGARET = 31
ROBINSON = 22
Czyli w sumie 53 = 5 + 3 = 8
Zaszyfrowana suma SPÓŁGŁOSEK Z IMIENIA I Z NAZWISKA to 8.

Liczba 8 pochodzi od 53 w takim samym stopniu jak od 4 (spółgłoski imienia mające aktywny wpływ na ostateczną liczbę) i od 4 (spółgłoski nazwiska).

Liczba 8 to LICZBA REALIZACJI ZEWNĘTRZNEJ. Przedstawia zewnętrzne doświadczenia, potencjał kariery zawodowej, życie praktyczne, fizyczny aspekt istnienia.

## 5) TABELA SKŁADNIKÓW

Należy wskazać liczbę liter o wartości 1, 2, 3 itd., aż do 9, zawartych w imieniu i nazwisku.

Ile liter o wartości 1 (A, J, S) znajduje się w imieniu i nazwisku Margaret Robinson?

M A R G A R E T R O B I N S O N

1 1 1

W imieniu i nazwisku w naszym przykładzie znajdują się 3 litery o wartości 1.

Ile jest liter o wartości 2?

M A R G A R E T R O B I N S O N

1 1

W układzie liter Margaret Robinson są 2 litery o wartości 2. Następnie kontynuujemy wykaz liter o kolejnych wartościach: 3, 4, 5, 6, 7, 8 i 9. Oto podstawowe liczby od 1 do 9 ułożone trójkami:

1 2 3
4 5 6
7 8 9

Taki układ pozwala lepiej rozpoznać TABELĘ SŁADNIKÓW.

A tak prezentuje się TABELA SKŁADNIKÓW dla Margaret Robinson:

3 2 0
1 3 2
1 0 4

W tabeli Margaret nie występują litery o wartości 3 i 8. Są to brakujące liczby. Oznaczają one braki wymagające uzupełnienia lub problemy do rozwiązania w dziedzinach reprezentowanych przez te liczby. Nazywamy je również lekcjami karmicznymi.

## 6) DZIEŃ URODZENIA

Wystarczy podać dzień urodzenia, tak jak występuje on w kalendarzu, bez upraszczania. Wyobraźmy sobie, że Margaret Robinson urodziła się 12 lipca 1967 r.

Zostawiamy więc 12.

Dzień urodzenia determinuje charakterystyczne cechy osobowości i wskazuje po części na orientację jednostki.

### 7) LICZBA ROZWOJU (DZIEŃ + MIESIĄC URODZENIA)

Margaret Robinson urodziła się 12 lipca 1967 r.
12 + 7 (lipiec) = 19 = 10 = 1
Liczbą rozwoju Margaret Robinson jest 1 (od 19 i 10).
Podliczby (tak je nazywamy, zanim zostaną uproszczone do liczby głównej, 1 do 9) zbadamy później.

### 8) PODSUMOWANIE LICZB MARGARET ROBINSON

M A R G A R E T (Liczba aktywna)
4 1 9 7 1 9 5 2 = 38 = 11 = **2**

R O B I N S O N (Liczba dziedziczna)
9 6 2 9 5 1 6 5 = 43 = **7**

Liczba wyrazu = 38 + 43 = 81 = **9**

M A R G A R E T   R O B I N S O N
1 1 5   6 9 6
= 7+ 21 = 28 = 10 = **1** (Liczba duszy)

M A R G A R E T   R O B I N S O N
4 9 7 9 2   9 2 5 1 5
= 31 + 22 = 53 = **8** (Liczba realizacji zewnętrznej)

<table>
<tr><th colspan="2">Tabela<br>składników</th><th>Dzień<br>urodzenia</th><th>Liczba<br>rozwoju</th></tr>
<tr><td>1 2 3<br>4 5 6<br>7 8 9</td><td>3 2 0<br>1 3 2<br>1 0 4</td><td>12</td><td>1<br>(19 =<br>1 + 9 = 10)</td></tr>
</table>

# II. TABELE INTERPRETACJI

## 1) LICZBA WYRAZU

**1.** Energia i potrzeba działania. Zdecydowanie. Kształtowanie własnej osobowości. Poczucie niezależności.

Przede wszystkim samodzielność. Pomysły, własne inicjatywy. Kreatywność.

*Skłonność do egocentryzmu i dominacji.*

**2.** (Jeśli 2 pochodzi od 11, należy korzystać z punktu 11)

Wrażliwość. Umiejętność słuchania innych i udzielania rad.

Zdolność do współpracy, do wiązania się. Cierpliwość i dyplomacja.

*Lunatyczny charakter, pasywność, powolność, słabość, zależność.*

**3.** Komunikatywne usposobienie. Potrzeba ekspresji. Rozmaitość zainteresowań.

Wesoły charakter i żywotność.

*Skłonność do rozdrażnienia, agresywnych reakcji, rozkojarzenia i marnotrawstwa.*

**4.** Powaga i łagodność. Potrzeba działania, tworzenia i pracowania.

Charakter mało otwarty, lecz solidny i uważny.

*Brak fantazji. Zbytnia pryncypialność. Brak rozeznania niuansów i brak otwartości.*

**5.** Łatwość adaptacji do nowych miejsc i sytuacji. Kocha odkrywać, próbować.

Potrzeba zmiennego rytmu, niezależność. Talent do przekonywania i negocjacji. Urok osobisty. Zdolności intelektualne.

*Niestałość, impulsywność. Skłonność do przesady (w mowie i w czynie). Nerwowość i niecierpliwość.*

**6.** Uczuciowość (uczucia dominują nad rozsądkiem). Poczucie wartości, usłużność i zdolność do poświęcenia. Potrzeba znajomości własnych korzeni. Łatwość kontaktu z ludźmi i chęć robienia dobrych uczynków. Perfekcjonizm.

*Poczucie winy i strach przed odrzuceniem. Zwątpienie w siebie. Trudności z dokonywaniem wyborów.*

**7.** Refleksyjność, umysł analityczny, bogate życie wewnętrzne. Potrzeba przestrzeni i autentyczności. Zdolność do nauki, do samodoskonalenia. Innowacje i oryginalność.
*Strachliwość, pesymizm; czasem zbyt dużo samotności. Skłonność do marginalizowania. Przesada.*

**8.** Bogata osobowość. Duże wymagania, solidność, poczucie sprawiedliwości. Odrzucenie wszelkiej dwulicowości, niejasności. Potrzeba spełnienia się w konkretnej dziedzinie. Energia i odporność.
*Upór, arogancja, ryzyko uprzedzeń w ocenie, materializm lub kierowanie się wyłącznie własnym zdaniem.*

**9.** Duża uczuciowość i wysokie, idealistyczne aspiracje. Charakter przepełniony pasją, silny, choć łatwo bywa osłabiany. Potrzeba niesienia pomocy innym, dzielenia się, przekazywania.
Ucieczki, wewnętrzne podróże.
*Skłonność do ulegania iluzji. Nadwrażliwość uczuciowa. Kryzysy. Uzależnienia.*

## a) Podliczby od 10 do 22

**10.** Każda jedynka pochodzi automatycznie od 10.
Asekuracja, przewaga nad innymi. Najlepiej wykonuje zadania krótkoterminowe, unika zapuszczenia korzeni. Komunikatywny entuzjazm.
*Lekkomyślność w mowie i czynie (gafy). Nierozwaga. Chęć robienia wszystkiego za szybko.*

**11.** Silny charakter i zmysł walki. Stawia czoło przeciwnościom. Duża żywotność i zdolność szybkiego regenerowania sił. Inspiracja i perswazja.
*Nerwowość, pryncypialność, choleryczne skłonności. Niecierpliwość i bezkompromisowość.*
*Czasem charakter wojowniczy lub kompletnie podległy otoczeniu.*

**12.** Bystrość, inteligencja analityczna. Zdolność zaangażowania się, dawania bez oczekiwania czegoś w zamian.
*Ruchliwość, brak elastyczności, pryncypialność, wrażliwość moralna.*

**13.** Duża wrażliwość, intuicja. Dyskrecja. Zdolność do rzeczowej i konkretnej pracy.

Dobra koncentracja, lecz zmienność. Łatwo adaptuje się do zmian życiowych.

*Upór przy złych wyborach. Słomiany ogień, reaguje pod wpływem chwili.*

**14.** Wyrozumiałość, wrażliwość i otwartość na ludzi. Umysł syntetyczny i duży potencjał intelektualny.

*Zmienny, wpływowy, wybuchowy charakter. Huśtawka nastrojów. Impulsywne działania, często ryzykowne.*

**15.** Silny, żywy temperament. Nastawienie na sukces i dążenie do prawdziwego komfortu. Zamiłowanie do piękna. Hojność.

*Zbyt duże przywiązanie do dóbr materialnych, nadmierne zaangażowanie emocjonalne. Egoizm. Niebezpieczne eksperymentowanie.*

**16.** Inteligencja i dobre wyczucie. Ambicja i odwaga, chce sam dochodzić do sukcesu. Opanowanie i autorytet. Zawsze gotowy do bitwy.

*Duma, brak realizmu, zaślepienie. Czasem skłonności depresyjne.*

**17.** Poczucie równowagi i harmonii. Kreatywne pomysły lub zdolności. Inspiracja, wyobraźnia. Trzeźwy umysł, bardzo uczuciowe usposobienie.

*Skłonność do urojeń, niedbałości, pasywności. Brak skutecznego działania.*

**18.** Nadwrażliwość, bystrość. Potrzeba wiary w absolut, duchowego zaangażowania się. Nadmierna uczuciowość.

*Ryzyko złego wyboru. Źle ulokowane uczucia i zaufanie. Rozkojarzenie. Rozczarowania.*

**19.** Otwarte i konstruktywne usposobienie. Entuzjazm i zmysł współpracy.

Pewien optymizm. Duża energia fizyczna i umysłowa. Potrzeba równowagi emocjonalnej.

*Zaślepienie, duma, egocentryzm, upór.*

**20.** Rześki, uważny i aktywny umysł. Poszukuje harmonii, równowagi. Ma wyczucie chwili. Łatwo dostosowuje się do zmian.

*Ruchliwość, niecierpliwość, niestałość, niezręczność.*

**21.** Otwartość na otaczający świat, zmysł wspólnoty. Dąży do harmonii i sukcesu. Zawody związane z przekazem informacji.
*Roztrzepanie, niedbałość, brak koncentracji i uwagi.*

**22.** Zdolność do wysiłku, wytrwałość. Wyznacza solidne, trwałe cele. Dąży do postępu ludzkości, chce być potrzebnym zbiorowości. Zainteresowanie zagranicą.
*Zachwiana równowaga, brak poczucia rzeczywistości, upór, obsesje.*

## b) Aktywny wpływ imienia na liczbę wyrazu (relacje między liczbą aktywną a liczbą dziedziczną)

***Liczba wyrazu 1***

LICZBA AKTYWNA 1. LICZBA DZIEDZICZNA 9
Dominuje liczba 1. Zadowolenie z siebie, wzmożone pragnienia. Kreatywność i inicjatywy związane ze światem zewnętrznym. Duma, a nawet arogancja.

LICZBA AKTYWNA 2. LICZBA DZIEDZICZNA 8
Poszukiwanie równowagi i bezpieczeństwa materialnego i uczuciowego. Poczucie sprawiedliwości i umiejętność współpracy. Władczość, impulsywność, zwłaszcza gdy 2 pochodzi od 11.

LICZBA AKTYWNA 3. LICZBA DZIEDZICZNA 7
Połączenie komunikatywności, refleksyjności i analizy. Żywotność i staranność. Niezwykła kreatywność i otwartość umysłu.

LICZBA AKTYWNA 4. LICZBA DZIEDZICZNA 6
Kreatywność wzbogacona o rozwagę i poczucie odpowiedzialności. Odwaga i usłużność. Czasami przesadny rygor.

LICZBA AKTYWNA 5. LICZBA DZIEDZICZNA 5
Niestabilność, niecierpliwość, gwałtowne, impulsywne reakcje. Przy dużej samoświadomości rozwinięta umiejętność adaptacji społecznej.

LICZBA AKTYWNA 6. LICZBA DZIEDZICZNA 4
Zmysł organizacji, powaga, umysł racjonalny, pragmatyczny. Czasem brak fantazji.

LICZBA AKTYWNA 7. LICZBA DZIEDZICZNA 3
Umysł introwertywny, trzeźwe myślenie, dyskrecja, od czasu do czasu żywe, niespodziewane reakcje. Skłonność do izolowania się. Oryginalne poglądy.

LICZBA AKTYWNA 8. LICZBA DZIEDZICZNA 2
Duża potrzeba działania w terenie i odnoszenia sukcesów. Duży wpływ na otoczenie, a nawet władczość. Potrzeba poczucia bezpieczeństwa. Skłonność do uporu.

LICZBA AKTYWNA 9. LICZBA DZIEDZICZNA 1
Bardzo rozwinięta komunikatywność, szerokie pole działania. Realizowanie się poprzez kontakt ze zbiorowością, altruizm. Potrzeba szerokich horyzontów.

***Liczba wyrazu 2***

LICZBA AKTYWNA 1. LICZBA DZIEDZICZNA 1
Duża energia i często mściwy charakter. Ryzyko zachwiań nerwowych i emocjonalnych. Inspiracja i dobre pomysły, jeśli chwiejność ta zostanie opanowana.

LICZBA AKTYWNA 2. LICZBA DZIEDZICZNA 9
Prawdziwa dwójka z mocno rozwiniętą sferą emocjonalną. Trudności z ustępowaniem, zwłaszcza na polu osobistym.

LICZBA AKTYWNA 3. LICZBA DZIEDZICZNA 8
„Elektryczny" temperament o gwałtownych reakcjach. Zręczność w interesach, lecz kłopoty ze stabilizacją.

LICZBA AKTYWNA 4. LICZBA DZIEDZICZNA 7
Powściągliwość, skrytość. Zdolność do analizy i obserwacji. Harmonijna osobowość, raczej subtelna.

LICZBA AKTYWNA 5. LICZBA DZIEDZICZNA 6
Pomiędzy potrzebą osobistej wolności a przywiązaniem do otoczenia. Żywe reakcje, czasem skrajne.

LICZBA AKTYWNA 6. LICZBA DZIEDZICZNA 5
Poczucie odpowiedzialności i dążenie do równowagi emocjonalnej. Umiejętność godzenia życia osobistego z życiem zawodowym.

LICZBA AKTYWNA 7. LICZBA DZIEDZICZNA 4
Duża wrażliwość i zdolność zrozumienia i dopasowania się do chwili obecnej. Skłonność do zamykania się w swojej wieży z kości słoniowej.

LICZBA AKTYWNA 8. LICZBA DZIEDZICZNA 3
Dynamiczna wibracja: potrzeba pełnego wykorzystania energii, lecz energia ta jest nieregularna; występuje od czasu do czasu. Słomiany ogień. Należy unikać uporu.

LICZBA AKTYWNA 9. LICZBA DZIEDZICZNA 2
Bardzo rozwinięta uczuciowość i zmienność nastrojów. Współdziałanie z drugim człowiekiem, z otoczeniem, pomaga czasem zmniejszyć wewnętrzne napięcie.

***Liczba wyrazu 3***

LICZBA AKTYWNA 1. LICZBA DZIEDZICZNA 2
Wzmocniona trójka, kładąca nacisk na kreatywność. Niezależność i odpowiedzialność.

LICZBA AKTYWNA 2. LICZBA DZIEDZICZNA 1
Dyplomacja i łatwość adaptacji, jeśli 2 jest prawdziwa; jeśli 2 pochodzi od 11, patrz 1–2. Wrażliwość i życie towarzyskie.

LICZBA AKTYWNA 3. LICZBA DZIEDZICZNA 9
Gadatliwość, potrzeba wyrażania swego zdania na każdy temat. Przekonujący sposób wyrażania myśli, ryzyko rozkojarzenia.

LICZBA AKTYWNA 4. LICZBA DZIEDZICZNA 8
Rozbudowana i bardzo konkretna trójka. Stanowczość i duże wymagania od bliskich. Wiele charyzmy w stosunku do otoczenia. Zręczność.

LICZBA AKTYWNA 5. LICZBA DZIEDZICZNA 7
Wiele uroku i elastyczności. Zamiłowanie do podróży i odkrywania nieznanego. Ryzyko niestałości.

LICZBA AKTYWNA 6. LICZBA DZIEDZICZNA 6
Poczucie odpowiedzialności i duża chęć niesienia pomocy. Skłonność do przesady.
Czasem brak tolerancji. Bardzo rozwinięte wyczucie estetyczne i artystyczne.

LICZBA AKTYWNA 7. LICZBA DZIEDZICZNA 5
Bardzo rozważna i dyskretna trójka. Zmysł badacza i pewna oryginalność.
Potrzeba poznania, nauki i podróży.

LICZBA AKTYWNA 8. LICZBA DZIEDZICZNA 4
Silny i bogaty charakter. Choleryczny temperament. Zbyt uporządkowany. Skuteczność w działaniu w terenie. Brak różnorodności zainteresowań.

LICZBA AKTYWNA 9. LICZBA DZIEDZICZNA 3
Oddany, płomienny temperament. Nadwrażliwość i wybuchowe reakcje. Zdolności wychowawcze i pedagogiczne.

***Liczba wyrazu 4***

LICZBA AKTYWNA 1. LICZBA DZIEDZICZNA 3
Rządząca czwórka, dyrygująca innymi. Opanowanie i inteligencja. Potrafi wykonywać powierzone jej zadania.

LICZBA AKTYWNA 2. LICZBA DZIEDZICZNA 2
Ograniczenie i chwiejność. Trudności z dokonywaniem wyborów.
Jeśli 2 aktywna pochodzi od 11, duże możliwości, lecz zarazem ciągłe wzloty i upadki.
Jeśli zaś dwie 2 pochodzą od 11, to silna wibracja gwarantuje spełnienie, lecz również napięcie w kontaktach z bliskimi.

LICZBA AKTYWNA 3. LICZBA DZIEDZICZNA 1
Zmysł akcji i komunikacji. Rygor połączony z otwartością. Dobre zrozumienie innych.

LICZBA AKTYWNA 4. LICZBA DZIEDZICZNA 9
Bardzo pracowita osoba z dość ograniczonymi poglądami, chyba że 4 pochodzi od 22. W tym wypadku dominują ambicje i otwartość. Bardzo słaba ekspresja.

LICZBA AKTYWNA 5. LICZBA DZIEDZICZNA 8
Czwórka ciekawa wszystkiego, mająca potrzebę działania. Zmienne nastroje i chwiejna energia. Czasem przesadne reakcje na błahe sprawy.

LICZBA AKTYWNA 6. LICZBA DZIEDZICZNA 7
Perfekcjonizm i dbałość o szczegóły, które mogą irytować otoczenie. Szczerość i odpowiedzialność, czasem wzbogacona o szczyptę fantazji i oryginalności.

LICZBA AKTYWNA 7. LICZBA DZIEDZICZNA 6
Bardzo dyskretna i powściągliwa czwórka. Poczucie równowagi i poszukiwanie jakości. Czasem nieprzewidywalne reakcje.

LICZBA AKTYWNA 8. LICZBA DZIEDZICZNA 5
Żywe porywy, kontrastujące z zamknięciem w sobie. Stanowcza osobowość, bogate doświadczenia i osiągnięcia. Czasem nadmierna srogość lub arogancja.

LICZBA AKTYWNA 9. LICZBA DZIEDZICZNA 4
Szerokie poglądy i potrzeba spełnienia. Czasem trudności z pogodzeniem potrzeb uczuciowych z materialnymi lub technicznymi stronami życia codziennego.

***Liczba wyrazu 5***

LICZBA AKTYWNA 1. LICZBA DZIEDZICZNA 4
Bardzo niezależna piątka, która pragnie ułożyć sobie życie według własnego pomysłu. Otwartość na innych, choć czasem wybiera samotność.

LICZBA AKTYWNA 2. LICZBA DZIEDZICZNA 3
Doskonała konfiguracja, pozwalająca dostosować się do innych na każdej płaszczyźnie, ma jednak trudności z trwałymi planami. Częste wątpliwości.

LICZBA AKTYWNA 3. LICZBA DZIEDZICZNA 2
Wesołe, beztroskie i żywe usposobienie. Wyczucie sprzyjających sytuacji i mobilność. Łatwość porozumiewania się i talent do negocjacji.

LICZBA AKTYWNA 4. LICZBA DZIEDZICZNA 1
Piątka mająca konstruktywne życiowe koncepcje, poszukująca solidnych podstaw, nic nie tracąc ze swojej niezależności. Duża aktywność.

LICZBA AKTYWNA 5. LICZBA DZIEDZICZNA 9
Silna wibracja ruchliwości i poszukiwania nowych horyzontów. Burzliwy tryb życia, tak w dobrym, jak i złym znaczeniu. Czasem impulsywność i konfliktowość. Duża nerwowość.

LICZBA AKTYWNA 6. LICZBA DZIEDZICZNA 8
Potrzeba życia uczuciowego, ale jednocześnie strach przed utratą wolności. Duże szanse na osiągnięcie sukcesu w interesach lub na odpowiedzialnych stanowiskach.

LICZBA AKTYWNA 7. LICZBA DZIEDZICZNA 7
Piątka stworzona do rozległych przestrzeni, podróży, nawigacji... słowem do ucieczki w każdej możliwej formie. Trudności z podporządkowaniem się rygorom, nieustanne poszukiwanie prawdziwych wartości.

LICZBA AKTYWNA 8. LICZBA DZIEDZICZNA 6
Potrzeba spełnienia i ambitne cele. Siła perswazji i władza nad otoczeniem; uwaga na pokusę manipulowania.

LICZBA AKTYWNA 9. LICZBA DZIEDZICZNA 5
Natura podróżnika, bogata wiedza. Potrzeba komunikowania się, wymiany, przekazywania. Napięcie nerwowe, notoryczna niecierpliwość, trudności z podporządkowaniem się regułom.

### *Liczba wyrazu 6*

LICZBA AKTYWNA 1. LICZBA DZIEDZICZNA 5
Szóstka, która wszystko bierze na siebie i nie waha się zainwestować w realizację własnych planów. Czasem nadmierna aktywność, władczość i odmowa współpracy.

LICZBA AKTYWNA 2. LICZBA DZIEDZICZNA 4
Wrodzone wyczucie równowagi i harmonii w relacjach międzyludzkich. Przywiązywanie dużej wagi do życia uczuciowego. Potrzeba bezpieczeństwa.

LICZBA AKTYWNA 3. LICZBA DZIEDZICZNA 3
Szóstka, kreatywna i wyrazista w wielu dziedzinach, zmuszona jest do dokonywania wyborów. Czasem wybitne zalety natury towarzyskiej, międzyludzkiej lub zdolności artystyczne i estetyczne.

LICZBA AKTYWNA 4. LICZBA DZIEDZICZNA 2
Bardzo dobra równowaga. Szóstka jest pracowitym, dobrym organizatorem, solidnym w wielu dziedzinach życia. Jeśli 4 pochodzi od 22, a 2 od 11, bardzo duże możliwości i zdolność do altruizmu.

LICZBA AKTYWNA 5. LICZBA DZIEDZICZNA 1
Dynamiczny i przedsiębiorczy charakter, ryzyko impulsywnych wyborów i błędów w osądach. Należy ukierunkować przeciwne energie.

LICZBA AKTYWNA 6. LICZBA DZIEDZICZNA 9
Uczuciowy temperament, nieugięty charakter. Zdolność do całkowitego oddania się pracy lub innej osobie. Należy uważać na zbyt zaborcze związki i walczyć z nadmierną chęcią posiadania.

LICZBA AKTYWNA 7. LICZBA DZIEDZICZNA 8
Szóstka, która analizuje i panuje nad swoimi emocjami. Działa bardzo rozważnie, stara się być partnerem wiarygodnym i wytrwałym w zobowiązaniach.

LICZBA AKTYWNA 8. LICZBA DZIEDZICZNA 7
Osobowość zdecydowana, uparta, ale przedsiębiorcza. Ryzyko błędnego szacowania i impulsywności. Czasem konflikty, a nawet bójki.

LICZBA AKTYWNA 9. LICZBA DZIEDZICZNA 6
Szóstka mająca idealistyczne spojrzenie na życie, z pasją angażująca się we wszystko, co robi. Czasem ryzyko zaślepienia, iluzji. Należy opanować emocjonalne napięcie.

*Liczba wyrazu 7*

LICZBA AKTYWNA 1. LICZBA DZIEDZICZNA 6
Skłonność do władczości i dominacji. Poczucie obowiązku i zasad. Wolna wola, odwaga, choć czasem brak niuansów w wypowiedziach lub egocentryzm.

LICZBA AKTYWNA 2. LICZBA DZIEDZICZNA 5
Temperament nerwowy i niestały. Notoryczna niecierpliwość, dwoistość podejmowanych decyzji i dokonywanych wyborów.

LICZBA AKTYWNA 3. LICZBA DZIEDZICZNA 4
Siódemka obdarzona łatwością komunikacji i spontanicznością, pełna pomysłów i inicjatyw. Konstruktywna osobowość. Kreatywność.

LICZBA AKTYWNA 4. LICZBA DZIEDZICZNA 3
Dużo powściągliwości i dyskrecji. Umysł analityczny, zdolność śledzenia wydarzeń z powagą i spostrzegawczością.

LICZBA AKTYWNA 5. LICZBA DZIEDZICZNA 2
Wyczucie przestrzeni i wymiany myśli; stała potrzeba nauki, odkrywania świata i zakłóceń rytmu. Czasem sprzeczności i nieprzewidywalne reakcje.

LICZBA AKTYWNA 6. LICZBA DZIEDZICZNA 1
Potrzeba równowagi i bezpieczeństwa. Poczucie odpowiedzialności, lecz duże wymagania również wobec innych.

LICZBA AKTYWNA 7. LICZBA DZIEDZICZNA 9
Rozsądny i głęboki charakter, wysokie aspiracje. Rozwinięta intuicja, czasem trudne do zniesienia zachowanie.

LICZBA AKTYWNA 8. LICZBA DZIEDZICZNA 8
Duża i trudna do opanowania energia. Tendencja do przytłaczania bliskich. Potrzeba ucieczki, podróży, projektów społecznych.

LICZBA AKTYWNA 9. LICZBA DZIEDZICZNA 7
Osobowość bogata i otwarta na wiedzę i świat zewnętrzny.
Trudności z pojmowaniem codzienności i podporządkowaniem się systemowi.

### *Liczba wyrazu 8*

LICZBA AKTYWNA 1. LICZBA DZIEDZICZNA 7
Aktywny i kierowniczy temperament. Dużo energii do wykorzystania, wymaga dobrego ukierunkowania, inaczej uwaga na wybuchy. Skuteczność i pewność siebie.

LICZBA AKTYWNA 2. LICZBA DZIEDZICZNA 6
Dobrze zrównoważona osobowość, wzmocniona potrzeba sprawiedliwości. Wrażliwość i dbałość o innych. Bardzo rozwinięta uczuciowość.

LICZBA AKTYWNA 3. LICZBA DZIEDZICZNA 5
Dynamiczna i wyrazista ósemka. Ryzyko rozkojarzenia, osobowość wyrażająca się spontanicznie i z dużą ekspresją. Czasem jednak działa zbyt wybuchowo.

LICZBA AKTYWNA 4. LICZBA DZIEDZICZNA 4
Osobowość bardzo stanowcza. Nie dostrzega niuansów, niezawodność w działaniu i w stosunkach międzyludzkich. Kłopoty z komunikacją.

LICZBA AKTYWNA 5. LICZBA DZIEDZICZNA 3
Duża potrzeba ruchu i działania, ale trzeba zachować pewien dystans, gdyż istnieje ryzyko przesady. Zróżnicowane zainteresowania, trudności ze stabilizacją.

LICZBA AKTYWNA 6. LICZBA DZIEDZICZNA 2
Bardzo wyostrzone poczucie sprawiedliwości; bezstronność. Nie uznaje dwuznaczności i niepewności, silny i wymagający temperament ze skłonnością do przesadnej uczynności.

LICZBA AKTYWNA 7. LICZBA DZIEDZICZNA 1
Ósemka, która przemyśli każdy podejmowany krok, ma bardzo wyostrzony zmysł analizy i umiejętność udzielania porad.
Niezależne usposobienie, pragnie żyć według własnego rytmu.

LICZBA AKTYWNA 8. LICZBA DZIEDZICZNA 9
Bardzo silna wibracja, wiele uporu i surowości. Zdolność do realizowania się na wysokim poziomie i do szybkiej regeneracji sił w razie zmęczenia lub zniechęcenia.

LICZBA AKTYWNA 9. LICZBA DZIEDZICZNA 8
Dużo współczucia i dobroci, lecz ryzyko pochopnych sądów. Należy unikać pośpiechu i emocjonalnych wybuchów.
Konfiguracja wydaje się, mimo to, pełna i konstruktywna.

*Liczba wyrazu 9*

LICZBA AKTYWNA 1. LICZBA DZIEDZICZNA 8
Temperament aktywny, wywierający duży wpływ na otoczenie i świat zewnętrzny. Potrzeba realizowania ambicji i odnoszenia sukcesów, zarówno na płaszczyźnie towarzyskiej, jak i zawodowej.

LICZBA AKTYWNA 2. LICZBA DZIEDZICZNA 7
Emocjonalne usposobienie, kobiece i bardzo wrażliwe na środowisko. Chwiejne nastroje, podobnie jak reakcje. Trudności z robieniem ustępstw.

LICZBA AKTYWNA 3. LICZBA DZIEDZICZNA 6
Harmonijna konfiguracja: otwarta i szlachetna osobowość. Doskonała komunikatywność i potencjał artystyczny i estetyczny, kreatywny.

LICZBA AKTYWNA 4. LICZBA DZIEDZICZNA 5
Skłonność do tłamszenia emocji i anarchicznych wybuchów. Konieczny wysiłek dla zrównoważenia konstruktywnych aspektów czwórki i emocjonalnych huśtawek dziewiątki.

LICZBA AKTYWNA 5. LICZBA DZIEDZICZNA 4
Zamiłowanie do przestrzeni i zmian; szybka adaptacja. Otwartość na świat, lecz należy uważać na impulsywność i niestabilność emocjonalną.

LICZBA AKTYWNA 6. LICZBA DZIEDZICZNA 3
Uczynny i oddany charakter, poszukuje doskonałej równowagi w emocjach i związkach. Możliwy talent twórczy, szczególnie do dekoracji, sztuki.

LICZBA AKTYWNA 7. LICZBA DZIEDZICZNA 2
Wzmocniona uczuciowość i bardzo subtelna wrażliwość. Inteligencja i trafna diagnoza. Wyczucie przestrzeni i oryginalność przeżyć.

LICZBA AKTYWNA 8. LICZBA DZIEDZICZNA 1
Silny temperament i upór. Uczuciowy charakter. Należy uważać na ryzyko przesady, władczości lub uporu.

LICZBA AKTYWNA 9. LICZBA DZIEDZICZNA 9
Bardzo idealistyczne usposobienie, ryzyko rozbieżności między marzeniami a realiami życiowymi. Należy uważać na uczucia, które determinują zachowanie.

## 2) LICZBA DUSZY

**1.** Pragnienie osiągnięcia osobistego sukcesu. Indywidualne inicjatywy i kreatywność.

Potrzeba uznania.

Pragnienie życia w udanym, a nawet doskonałym związku, z niezbędnym podziwem dla partnera.

Skłonność do dominacji i egoizmu.

**2.** (Jeśli 2 pochodzi od 11, należy sprawdzić punkt 11)

Pragnienie współpracy, współdziałania, partnerstwa. Wyrozumiałość i wrażliwość.

Zmysł przyjaźni. Pragnienie stworzenia związku, kochania i bycia kochanym.

Skłonność do zależności od drugiej osoby, pasywności, zwątpienia w siebie i innych.

**3.** Potrzeba wyrażania, komunikowania, odpoczynku. Wrodzona radość. Żywość umysłu. Wyobraźnia.

Pragnienie szczęścia, miłości, przyjemności, wzbogacone o świeżość umysłu.

Skłonność do rozkojarzenia, nerwowość, podejrzliwość.

**4.** Pragnienie spełnienia w pracy. Poważny i zawzięty charakter.

Lojalność i solidność. Pragnienie stabilnego i trwałego życia uczuciowego, dzielenia się przyjemnościami.

Trudności z uzewnętrznianiem się, powaga, brak otwartości.

**5.** Pragnienie odkrywania, zmian, przemieszczania się. Zamiłowanie do podróży. Potrzeba niezależności. Nerwowy temperament.

Poszukiwanie nowych doświadczeń, wzajemnego zrozumienia, z zachowaniem pewnej wolności.
Skłonność do niestabilności, impulsywności, ciągłego odkrywania nowych zainteresowań.

**6.** Pragnienie życia w harmonii i bezpieczeństwie; potrzeba dotarcia do własnych korzeni. Poczucie odpowiedzialności i uczynność. Poszukiwanie piękna, estetyki.
Pragnienie założenia ogniska domowego, prawdziwej rodziny, domu.
Skłonność do wysokich wymagań, obwiniania się, strachu przed porzuceniem lub byciem niekochanym.

**7.** Zainteresowanie studiowaniem, nauką, postępem. Zamiłowanie do przestrzeni, natury. Życie wewnętrzne. Zmysł przyjaźni.
Pragnienie spotkania bratniej duszy, aby dzielić z nią prawdę przeżyć lub wspólne ważne cele. W przeciwnym wypadku wybór celibatu.
Skłonność do izolowania się, nadmiernej tajemniczości lub dumy.

**8.** Pragnienie spełnienia się zawodowego i odniesienia sukcesu. Potrzeba bezpiecznej sytuacji materialnej.
Talent do zarządzania, a nawet władzy. Pragnienie solidnego związku, dobrze zorganizowanego, w przyjaznym i zrównoważonym otoczeniu.
Pewna bezkompromisowość, umysł materialistyczny, skłonność do nieokazywania uczuć, ukrywania się w swojej wieży z kości słoniowej.

**9.** Pragnienie poznania, przekazywania, dzielenia się, oddania się komuś lub czemuś. Powołanie. Komunikowanie z otoczeniem, z zagranicą.
Pragnienie idealnego i absolutnego związku. Uczuciowe i bogate usposobienie.
Skłonność do zniechęcenia, egzaltacji, rozczarowań.

## a) Podliczby od 10 do 22

**10.** Każda jedynka pochodzi automatycznie od 10. Należy porównać z 1.

**11.** Pragnienie dominacji, wpływania na innych. Wzniosłe ideały, ambicje. Wybitna intuicja, dbałość o szczegóły.

Potrzeba udanego związku, duże wymagania od partnera.
Niecierpliwość, nerwowość, surowość.

**12.** Pragnienie wyrafinowanej komunikacji duchowej i międzyludzkiej. Rozwinięty zmysł krytyczny. Bezinteresowność.
Słabość, delikatność moralna, strach przed porażką lub odrzuceniem. Czasem niewierność.

**13.** Poszukiwanie zrozumienia życia, poznania wszystkich szczegółów i okoliczności towarzyszących różnym sytuacjom. Intuicja, przenikliwość. Pragnienie odmiany własnej egzystencji. Nieumiejętność skorzystania ze sposobności, zaakceptowania zmian.

**14.** Pragnienie szczęścia, równowagi. Duża zdolność adaptacji. Niestałość, wybuchy emocjonalne bez kontynuacji, podatność na niekorzystne wpływy.

**15.** Potrzeba intensywnego życia, doznania fizycznych przyjemności. Przywiązanie do drugiego człowieka i swoich korzeni.
Egoizm, niekontrolowane emocje, zazdrość w miłości. Czasem problemy seksualne.

**16.** Realizacja ambicji, próby dokonania zmiany rytmu, sytuacji, podania wszystkiego w wątpliwość.
Impulsywność, brak otwartości na potrzeby innych ludzi, duma, upieranie się przy błędach.

**17.** Czekając na dogodną sytuację, należy dążyć do sukcesów nie tylko w życiu zawodowym, ale też uczuciowym.
Trudności z organizacją czasu i różnych ważnych życiowo rytmów. Czasem zbytnia powolność, czasem pośpiech.

**18.** Senne marzenia, ucieczka w świat wyobraźni, dążność do absolutnego spełnienia.
Błędy, rozczarowania, naiwne koncepcje i fałszywe sytuacje.

**19.** Pragnienie ułożenia sobie życia samemu, pełnego oszołamiających sukcesów. Siła wewnętrzna, duża energia.
Skłonność do egocentryzmu, dumy, uporu.

**20.** Patrz liczba duszy 2 (2 od 20 to prawdziwe 2).

**21.** Potrzeba harmonii w związkach i w życiu zawodowym, realizacji licznych planów.
Kłopoty z koncentracją, konieczność regularnych weryfikacji sytuacji.

**22.** Działanie nie tylko dla siebie, lecz przede wszystkim dla drugiego człowieka, zbiorowości, świata. Całkowite zaangażowanie (patrz również cechy charakterystyczne dla 4).
Czasem zbaczanie z drogi, przeszkody wewnętrzne, kłopoty z miłością, niewiara w realizację planów.

## b) Aktywny wpływ samogłosek imienia na liczbę duszy

(Związek między liczbą pochodząca od samogłosek imienia a liczbą pochodzącą od samogłosek nazwiska).

***Liczba duszy 1***

*Pochodząca od 1 i 9:*
Silne pragnienie samodoskonalenia się. Skłonność do narzucania się.

*Pochodząca od 2 i 8:*
Poczucie równowagi w wielu dziedzinach. Umiejętność słuchania innych.

*Pochodząca od 3 i 7:*
Duża kreatywność, podobnie jak otwartość umysłu.

*Pochodząca od 4 i 6:*
Harmonia, konstruktywność i poczucie odpowiedzialności.

*Pochodząca od 5 i 5:*
Ryzyko niestałości uczuciowej, różnorodne zainteresowania, zdolność do adaptacji i zmiany wyborów.

*Pochodząca od 6 i 4:*
Zdolność do kochania i podejmowania odpowiedzialności, lecz jednocześnie skłonność do dominacji.

*Pochodząca od 7 i 3:*
Raczej tajemnicze usposobienie, dbałość o szczegóły, umysł analityczny. Potrzeba przestrzeni.

*Pochodząca od 8 i 2:*
Chęć odniesienia sukcesu w sferze uczuciowej i praktycznej. Intrygujące i wymagające usposobienie.

*Pochodząca od 9 i 1:*
Idealizm, ale też łatwe dostosowanie się do rzeczywistości, dobry kontakt z innymi.

***Liczba duszy 2***

*Pochodząca od 1 i 1:*
Autorytet dla drugiego człowieka, duże napięcie nerwowe. Trudność z utrzymaniem życiowej równowagi.

*Pochodząca od 2 i 9:*
Idealistyczne spojrzenie na związki osobiste i inne. Czasami przedsięwzięcia związane z zagranicą.

*Pochodząca od 3 i 8:*
Życie pełną piersią, lecz trudne do opanowania napięcie nerwowe i czasem trudności ze stabilizacją.

*Pochodząca od 4 i 7:*
Dobra konfiguracja: konstruktywne aspiracje, zdolność do życia w związku opartym na solidnych podstawach.

*Pochodząca od 5 i 6:*
Ogólnie niestabilna wibracja, ale wielki urok osobisty.

*Pochodząca od 6 i 5:*
Sentymentalne i wymagające uczuciowo usposobienie; duża potrzeba równowagi.

*Pochodząca od 7 i 4:*
Dobra wibracja, ale zbyt oszczędne wyrażanie uczuć.
Poza tym opanowanie w każdym calu.

*Pochodząca od 8 i 3:*
Ryzyko bójek i „elektryzujących" związków. Pragnienie sukcesów za wszelką cenę, choć bardzo duże rozkojarzenie.

*Pochodząca od 9 i 2:*
Bardzo silne uczucia, ciągły strach i wątpliwości trudne do opanowania.

***Liczba duszy 3***

*Pochodząca od 1 i 2:*
Dobrze przemyślane pomysły i plany. Czasami zbyt zdecydowane zachowania w życiu prywatnym.

*Pochodząca od 2 i 1:*
Harmonijna konfiguracja w każdej dziedzinie. Poczucie równowagi.

*Pochodząca od 3 i 9:*
Łatwa i bogata komunikacja. Spontaniczność i zdolności nowatorskie. Należy unikać rozkojarzenia w sferze uczuciowej.

*Pochodząca od 4 i 8:*
Doskonałe umiejętności negocjacji, ale surowe wymagania na płaszczyźnie emocjonalnej i międzyludzkiej. Duża efektywność pracy.

*Pochodząca od 5 i 7:*
Dobra wibracja dla podróżników, studentów, naukowców. Konieczne minimum niezależności; jeśli jej brak, ryzyko konfliktów.

*Pochodząca od 6 i 6:*
Uciążliwe spięcia na płaszczyźnie międzyludzkiej, duże poczucie odpowiedzialności. Perfekcjonizm do złagodzenia, nadmierne poszukiwanie równowagi.

*Pochodząca od 7 i 5:*
Raczej dyskretne uzewnętrznianie się, potrzeba wolności. Zamiłowanie do podróży, ucieczek i nowych doświadczeń.

*Pochodząca od 8 i 4:*
Silna wibracja, lecz wymagająca. Należy unikać arogancji i ryzykownych wyzwań. Doskonała energia do rozładowania.

*Pochodząca od 9 i 3:*
Bardzo otwarta komunikacja, choć emocje mogą być trudne do opanowania.

***Liczba duszy 4***

*Pochodząca od 1 i 3:*
Pomysłowość i władczość w działaniu. Brak niuansów w uczuciach.

*Pochodząca od 2 i 2:*
Pragnienie ustabilizowanego związku, lecz wybuchowy charakter. Należy opanować emocje i skrajności.

*Pochodząca od 3 i 1:*
Konstruktywne pomysły i spontaniczne inicjatywy. Dobre rokowania.

*Pochodząca od 4 i 9:*
Ciężka konfiguracja; tendencja do zamykania się w ciasnych granicach. Należy bardziej zająć się sobą, by iść do przodu.

*Pochodząca od 5 i 8:*
Dosyć niestabilna wibracja; nieprzewidywalne reakcje. Rozwiązania są często podawane w wątpliwość. Aby utrzymać równowagę, należy umiejętnie wykorzystywać swoją energię.

*Pochodząca od 6 i 7:*
Wysokie poczucie równowagi, duża bystrość i dobra orientacja w terenie. Zdolność podejmowania decyzji.

*Pochodząca od 7 i 6:*
Dobre opanowanie i doskonałe zdolności analityczne. Głębokie i dyskretne uczucia.

*Pochodząca od 8 i 5:*
Wibracja umiarkowana w kontaktach z drugim człowiekiem, choć duża zdolność realizowania ambitnych planów zawodowych.

*Pochodząca od 9 i 4:*
Marzenia senne zderzają się z praktycznymi zasadami czwórki. Stąd dwoistości, wzloty i upadki, nie zawsze korzystne.

### *Liczba duszy 5*

*Pochodząca od 1 i 4:*
Konfiguracja niezależności i panowania nad własnym życiem. Konstruktywne poglądy.

*Pochodząca od 2 i 3:*
Korzystna wibracja, pod warunkiem że życiowe wybory są trafne. Związek jest dominującym elementem równowagi.

*Pochodząca od 3 i 2:*
Doskonała komunikacja i umiejętność wysłuchania drugiego człowieka, wysoko rozwinięta zdolność do adaptacji.

*Pochodząca od 4 i 1:*
Niektóre blokady czwórki hamują jej wewnętrzny rozwój. Należy pokonać bariery. Życie uczuciowe dość ograniczone.

*Pochodząca od 5 i 9:*
Wibracja podróży, niezależności, przygody. Emanuje dużym urokiem osobistym, choć wykazuje nadmierną nerwowość.

*Pochodząca od 6 i 8:*
Ta dość ciężka emocjonalnie konfiguracja ma duże wymagania i niecierpliwość. Silne pragnienie materialnego komfortu.

*Pochodząca od 7 i 7:*
Konfiguracja odstająca od normy: zdolność do nauki i wnikliwej analizy; oryginalność postępowania, duża niezależność, chociaż miłość może być przeżywana tylko w wyjątkowy sposób.

*Pochodząca od 8 i 6:*
Mściwy charakter, uparty i bardzo silny.
Ambitne aspiracje i czasem trudności z ustabilizowaniem życia uczuciowego.

*Pochodząca od 9 i 5:*
Mistyczna natura, ale czasem wysokie aspiracje i potrzeba przygody, odkrywania nowych horyzontów. Wibracja mało przystosowana do codzienności.

### *Liczba duszy 6*

*Pochodząca od 1 i 5:*
Wibracja niezależności i władzy. Żywe zainteresowania i poczucie własnej wartości.

*Pochodząca od 2 i 4:*
Podstawowym pragnieniem jest związek i rodzina. Uczynność, czasem przesadna, w każdej dziedzinie.

*Pochodząca od 3 i 3:*
Duża kreatywność, niechęć do rutyny.
W uczuciach potrzeba równowagi, należy panować nad emocjami i podejrzliwością.

*Pochodząca od 4 i 2:*
Przywiązanie do tradycyjnych wartości i własnych korzeni. Umiejętność organizacji i poczucie odpowiedzialności.

*Pochodząca od 5 i 1:*
Sprzeczność między potrzebą wolności a przywiązaniem emocjonalnym. Skłonność do życia pełną piersią, lecz życiowe cele mogą się szybko zmieniać.

*Pochodząca od 6 i 9:*
Intensywnie przeżywane uczucia, dominują emocje. Gwałtowne wybuchy w działaniu, co idealnie pasuje do humanistycznych i artystycznych zajęć. Duża bystrość.

*Pochodząca od 7 i 8:*
Raczej gwałtowna wibracja, wzbogacona o nowatorskie podejście do życia i związków. Interesująca zgodność inteligencji i doświadczeń uczuciowych.

*Pochodząca od 8 i 7:*
Silna konfiguracja, wytrwałość i wysokie wymagania.
Ambicje i duży wpływ na partnera.

*Pochodząca od 9 i 6:*
Jeśli emocje są opanowane, jest to doskonała wibracja pozwalająca na efektywny rozwój. Jeśli nie, istnieje ryzyko konfliktów wewnętrznych.

***Liczba duszy 7***

*Pochodząca od 1 i 6:*
Duży potencjał wnikliwego analizowania i refleksjności. Mimo tej ostatniej, skłonność do zamykania się w sobie.

*Pochodząca od 2 i 5:*
Chwiejne, czasem przeciwstawne nastroje. Potrzeba zrównoważonego i dającego poczucie bezpieczeństwa, lecz nie przytłaczającego otoczenia.

*Pochodząca od 3 i 4:*
Nasilona kreatywność i oryginalność pomysłów. Silna potrzeba otaczania się przyjaciółmi.

*Pochodząca od 4 i 3:*
Opanowanie i sprecyzowane cele. Należy rozwinąć umiejętność porozumiewania się w związku.

*Pochodząca od 5 i 2:*
Potrzeba niezależności i zamiłowanie do nauki. Silne napięcie nerwowe. Dosyć elektryzujące związki osobiste.

*Pochodząca od 6 i 1:*
Poczucie odpowiedzialności, opanowanie, lecz duże wymagania i czasem bardzo krytyczne spojrzenie na siebie.

*Pochodząca od 7 i 9:*
Duża inteligencja, lecz osoba trudna do zniesienia w życiu prywatnym. Czasem pragnie przewyższyć samą siebie.

*Pochodząca od 8 i 8:*
Całkowite wyczucie równowagi i brak wszelkiej niepewności. Duża energia wymaga opanowania, konieczna jest wyrozumiałość i tolerancja w życiu prywatnym.

*Pochodząca od 9 i 7:*
Zamiłowanie do nauki. Konfiguracja wskazuje na bardzo duże możliwości, jeśli emocje są opanowane. Jeżeli nie, grożą niekontrolowane wybuchy i przesada.
Potrzeba podróżowania.

***Liczba duszy 8***

*Pochodząca od 1 i 7:*
Wibracja raczej stabilna: silna wola, nowe pomysły, władza.
Nie dostrzega niuansów w sferze emocjonalnej.

*Pochodząca od 2 i 6:*
Doskonała konfiguracja do życia emocjonalnego i stałego związku. Ogólnie dobra równowaga.

*Pochodząca od 3 i 5:*
Dużo praktycznych pomysłów i pragnień ich realizacji. Wyczucie w interesach i wykorzystanie dogodnych sytuacji. Ryzyko rozkojarzenia w sferze emocjonalnej.

*Pochodząca od 4 i 4:*
Wrodzony zmysł organizacji i pracowitość, lecz ryzyko zbyt ograniczonych koncepcji. Dość uciążliwy brak okazywania uczuć w życiu prywatnym.

*Pochodząca od 5 i 3:*
Potrzeba ciągłej zmiany, zróżnicowanych związków, różnorodnych zainteresowań.
Do równowagi niezbędna niezależność.

*Pochodząca od 6 i 2:*
Doskonałe prognozy dotyczące rodziny i życia uczuciowego. Czasem nadmierne oddanie i usłużność. Bezstronność i wrażliwość na niesprawiedliwość.

*Pochodząca od 7 i 1:*
Dobry zmysł analityczny i intuicja w sprawach osobistych.
Zimna krew i zdolność radzenia sobie w nowych sytuacjach. Czasem skrytość, powściągliwość, a niekiedy gwałtowność w życiu uczuciowym.

*Pochodząca od 8 i 9:*
Konfiguracja siły i przebojowości. Duże zaangażowanie w realizację celów, co pozawala zajść bardzo wysoko.
Życie uczuciowe ułożone, lecz trudne.

*Pochodząca od 9 i 8:*
Jeśli życie uczuciowe jest ułożone, to wibracja pełna i konstruktywna. Należy porównać z 8 i 9.

***Liczba duszy 9***

*Pochodząca od 1 i 8:*
Potrzeba kierowania, panowania nad otoczeniem. Skłonność do kontrolowania emocji.

*Pochodząca od 2 i 7:*
Nadwrażliwość, uważne spojrzenie na drugiego człowieka i przeżyte sytuacje.
Poszukuje bezpieczeństwa uczuciowego, lecz bardzo łatwo ulegający wpływom i niestabilny charakter.

*Pochodząca od 3 i 6:*
Harmonijna wibracja w sferze uczuciowej. Należy unikać skrajności i niekontrolowanych uczuć. Kreatywność, talent twórczy.

*Pochodząca od 4 i 5:*
Konfiguracja dyskrecji w sferze uczuciowej, ale szerokie cele w sferze praktycznej.

*Pochodząca od 5 i 4:*
Podstawowa potrzeba szerokich przestrzeni i możliwości odkrywania. Autonomia w realizacji planów zawodowych , również w życiu uczuciowym niezbędna pewna niezależność.

*Pochodząca od 6 i 3:*
Bogate i gwałtowne usposobienie, stale w poszukiwaniu doskonałej równowagi.
Altruistyczna zdolność do poświęceń. Zamiłowanie do piękna.

*Pochodząca od 7 i 2:*
Skrytość i duża wrażliwość, a często nawet nadwrażliwość. Potrzeba zrozumienia, poznania, ale również dzielenia się ze światem.

*Pochodząca od 8 i 1:*
Silny temperament, czynny w każdej dziedzinie, bardzo przekonywający. Bogata wibracja zapowiada duże możliwości.

*Pochodząca od 9 i 9:*
Interesująca konfiguracja, pod warunkiem że emocje i uczucia nie wezmą góry. Ponadto należy wysoko mierzyć w życiu i unikać wszelkiego rodzaju uzależnień.
Czasem nieznajomy może odegrać dużą rolę w życiu uczuciowym.

### 3) LICZBA REALIZACJI ZEWNĘTRZNEJ

**1.** Zdolność do inicjatywy i skutecznego działania. Ambicje i autonomia. Należy przede wszystkim polegać na samym sobie.
Skłonność do egoizmu lub despotyzmu.

**2.** Jeśli 2 pochodzi od 11, należy porównać z 11.
Zdolność do partnerstwa i współpracy. Związki odgrywają ważną rolę. Skłonność do nadmiernego zaufania do partnera. Trudności z dokonywaniem wyborów.

**3.** Dobre kontakty i porozumienie z otoczeniem. Sztuka negocjacji. Energiczność w działaniu.
Skłonność do rozkojarzenia, niecierpliwości i podejrzliwości.

**4.** Zdolność do konstruktywnych i wytrwałych działań. Stałość i pewność. Organizacja i powaga.
Nadmierna surowość, trudności z okazywaniem uczuć i adaptacją.

**5.** Mobilność, łatwa adaptacja oraz lotność umysłu. Dar przekonywania i entuzjazm. Zamiłowanie do podróży i zmian rytmu.
Skłonność do niestałości, nierozwagi i przesady.

**6.** Odpowiedzialność, oddanie sprawie, opanowanie. Właściwa ocena wartości produktu bądź usługi. Poszukiwanie bezpieczeństwa i harmonii. Skłonność do zwątpienia w siebie, obwiniania się, odmawiania ugody.

**7.** Zdolność do analizy, nauki, nowych odkryć. Kreatywność w specyficznych, specjalistycznych lub związanych z ludzkością dziedzinach. Niezależne życie uczuciowe.
Skłonność do nadmiernego zamykania się w sobie lub przesadnej ekscentryczności. Utrata poczucia rzeczywistości, zwątpienie w siebie.

**8.** Aktywność w terenie, ambitne i solidne działania. Waleczność i odporność (fizyczna i moralna).
Wyczucie w interesach i umiejętność dowodzenia.
Arogancja, wyniosłość, brak elastyczności. Skłonność do manipulacji, zachłanności.

**9.** Zdolność do poświęceń, uczynność i dobra komunikacja z otoczeniem. Pedagogika, zainteresowanie dla nowych kontaktów i nowych kultur. Zdolność do pełnego realizowania się. Czasem wykonywanie zawodów społecznych.
Skłonność do nadmiernych wymagań od drugiego człowieka, ciągłej potrzeby akceptacji, obierania nierealnych celów, tracenia gruntu pod nogami z powodów psychologicznych.

## a) Podliczby od 10 do 22

**10.** Każda 1 pochodzi automatycznie od 10. Należy porównać z liczbą realizacji zewnętrznej 1.

**11.** Pomysłowość, wynalazczość i spontaniczność. Szybkość reakcji, zdolność do narzucania własnych opinii, kiedy zajdzie taka potrzeba, ambicja. Realizacja planów.
Niecierpliwość, niezdyscyplinowanie, skłonność do bójek. Duża nerwowość.

**12.** Zdolność do komunikacji i ekspresji. Dzielenie się własnymi doświadczeniami z otoczeniem. Dobra znajomość wszystkiego, co ludzkie.

Bezradność w kwestiach materialnych, strach przed porażką, podejrzliwość i nerwowość.

**13.** Konstruktywność na płaszczyźnie zawodowej i dobra adaptacja w terenie. Poczucie odpowiedzialności i pozytywne spojrzenie na otoczenie.
Częste wątpliwości, wahania, trudności z podejmowaniem radykalnych decyzji.

**14.** Energia, żywa inteligencja, równowaga, inspiracja i bezkonfliktowość. Talent do kontaktów zewnętrznych.
Skłonność do skrajności, impulsywność, brak zdecydowania, błędy strategiczne.

**15.** Ambicja, chęć odnoszenia sukcesów, inteligencja praktyczna. Wyczucie konkretów, pragmatycznych rozwiązań.
Skłonność do złego wykorzystywania energii, obłudy, ulegania materialnym pobudkom.

**16.** Intuicja, wyostrzona i spontaniczna analiza. Pewność i profesjonalizm, dbałość o szczegóły.
Brak elastyczności, duma, skłonności depresyjne, rozproszenie sił.

**17.** Kreatywne pomysły, wysoka świadomość. Zdolność wyczuwania czasu i odpowiednich warunków do działania. Zaufanie.
Niewiele negatywnych aspektów: ryzyko rozkojarzenia, nadmiernego przemęczenia.

**18.** Wyobraźnia, refleksyjność, zmysł strategiczny w trudnych lub niejasnych sytuacjach. Zamiłowanie do dalekich podróży.
Trudności z podejmowaniem decyzji, chwiejność, błędne osądy, brak stabilności w sferze emocjonalnej.

**19.** Konstruktywność, gościnność, doskonała koncentracja, dobra orientacja w terenie. Łatwość kontaktu w społeczeństwie, niezbędna niezależność.
Skłonność do uporu, do dostrzegania jedynie materialnych korzyści, do problemów osobistych.

**20.** Należy porównać z liczbą realizacji zewnętrznej 2 (2 od 20 jest prawdziwą 2).

**21.** Otwartość i wyczucie równowagi. Charyzma w kontaktach i kreatywność pod różnymi postaciami.
Łatwość rozwoju w dziedzinie zaawansowanej komunikacji.
Nieporadność w codziennym życiu i skłonność do złej organizacji.

**22.** Rozwinięte zalety liczby 4 oraz jeszcze większa ambicja. Skuteczna działalność związana z zagranicą lub większą zbiorowością. Wyjątkowa odporność, wytrwałość i opanowanie.
Skłonność do postawy buntowniczej, braku otwartości w stosunku do bliskich i czasem niezgodność między słowami a czynami. Wyniosłość, a nawet zamknięcie w sobie.

## b) Aktywny wpływ spółgłosek imienia na liczbę realizacji zewnętrznej (związek między liczbą, pochodzącą od spółgłosek imienia i liczbą pochodzącą od spółgłosek nazwiska)

***Liczba realizacji zewnętrznej 1***

*Pochodząca od 1 i 9:*
Władczość i ambicje przywódcze. Autorytet dla otoczenia.

*Pochodząca od 2 i 8:*
Skuteczność we współpracy w mniejszych i większych grupach. Dobre wyniki.

*Pochodząca od 3 i 7:*
Komunikatywność, oryginalne pomysły i wyczucie sytuacji.

*Pochodząca od 4 i 6:*
Powaga i profesjonalizm. Dynamiczne działania.

*Pochodząca od 5 i 5:*
Dobry podróżnik, łatwość adaptacji. Trudności z panowaniem nad sobą i ustabilizowaniem się.

*Pochodząca od 6 i 4:*
Władczość i opanowanie. Doskonała organizacja. Skłonność do perfekcjonizmu i dominacji nad bliskimi.

*Pochodząca od 7 i 3:*
Osobowość odznaczająca się zręcznością, taktem i subtelnością. Analityczna inteligencja oraz umysł wynalazcy.

*Pochodząca od 8 i 2:*
Waleczność w terenie, czasem zbyt duży upór. Realizacja planów.

*Pochodząca od 9 i 1:*
Szeroka komunikatywność, skłonność do podejmowania różnych zadań, docenianie rezultatów. Należy panować nad emocjami.

***Liczba realizacji zewnętrznej 2***

*Pochodząca od 1 i 1:*
Współpraca i partnerstwo pod warunkiem możliwości przywództwa, gdyż ta dwójka nie podporządkowuje się. Ryzyko sporów i dwoistości.

*Pochodząca od 2 i 9:*
Trudności z wyborem swojej drogi oraz błędne określanie celów. Chwiejność zmian w karierze. Czasem problemy w związku.

*Pochodząca od 3 i 8:*
Duży dynamizm i dobre wyniki w terenie. Trudności z zarządzaniem, czasem również z organizacją. Typowy skokowy rozwój.

*Pochodząca od 4 i 7:*
Dobra konfiguracja dla równowagi i inteligencji w działaniu. Opanowanie i inspiracja.

*Pochodząca od 5 i 6:*
Trudna do opanowania wibracja, ciągła huśtawka.

*Pochodząca od 6 i 5:*
Równowaga w rozwoju kariery, choć w pewnych momentach konieczna jest trafna decyzja.

*Pochodząca od 7 i 4:*
Konfiguracja łącząca rozum, refleksję i skuteczność.

*Pochodząca od 8 i 3:*
Napięcie i zmysł akcji. Skuteczność działania, lecz skokowy rozwój.

*Pochodząca od 9 i 2:*
Emocjonalność wymagająca opanowania. Należy również nauczyć się iść na ustępstwa. Zdolność przekraczania własnych możliwości.

***Liczba realizacji zewnętrznej 3***

*Pochodząca od 1 i 2:*
Komunikatywność i władczość, zmysł przywódczy. Konstruktywne działanie.

*Pochodząca od 2 i 1:*
Równowaga w związkach i głębokie zrozumienie drugiego człowieka. Dobra wibracja dla medytacji.

*Pochodząca od 3 i 9:*
Skłonność do szybkiego i elastycznego spełniania się, należy jednak uważać na roztrzepanie i nieprzewidziane reakcje.

*Pochodząca od 4 i 8:*
Predyspozycje do wykonania ambitnych i solidnych zadań oraz zdolności do adaptacji w terenie, choć komunikatywność jest może zbyt ograniczona.

*Pochodząca od 5 i 7:*
Zmienność tematów i rozmówców. Wibracja podróżnika, skłonność do niestałości.

*Pochodząca od 6 i 6:*
Rozwinięty perfekcjonizm i przesadna kontrola. Doskonale opanowane relacje międzyludzkie, poczucie odpowiedzialności.

*Pochodząca od 7 i 5:*
Trafne przemyślenia i instynktowna analiza terenu. Podróże lub eksternistyczne zlecenia.

*Pochodząca od 8 i 4:*
Duże wymagania, a nawet bezkompromisowość, ale też sprawiedliwość. Wytrwałość w wysiłkach.

*Pochodząca od 9 i 3:*
Zdolności pedagogiczne, wychowawcze, dydaktyczne. Łatwość w kontaktach międzyludzkich, lecz niecierpliwość.

***Liczba realizacji zewnętrznej 4***

*Pochodząca od 1 i 3:*
Indywidualne projekty, kreatywność i konstruktywność.

*Pochodząca od 2 i 2:*
Trudności z wyborem kierunku kariery i ryzyko napięć w związku, jeśli nie zostanie zachowana równowaga i osiągnięta ugoda.

*Pochodząca od 3 i 1:*
Komunikatywność i łatwość ekspresji. Konstruktywne pomysły.

*Pochodząca od 4 i 9:*
Wybitna pracowitość i aktywność, ale trudności w otwarciu na nowości.

*Pochodząca od 5 i 8:*
Aktywność, dobrze wykonuje ambitne zadania.
Śmiałość i znajomość własnych możliwości. Zdolności w negocjowaniu, lecz ryzyko niestałości.

*Pochodząca od 6 i 7:*
Dobra orientacja w terenie, uczynność i znajomość relacji międzyludzkich.

*Pochodząca od 7 i 6:*
Powolny rozwój, ale trwałe rezultaty. Należy wypracować lepszą komunikatywność.

*Pochodząca od 8 i 5:*
Duża skuteczność i doskonała energia do wykorzystania w terenie. Należy uważać na upór i zawziętość.

*Pochodząca od 9 i 4:*
Aspiracje do pełnego zrealizowania się, zafascynowanie wyznaczonymi celami. Ambicje naukowe i dydaktyczne.

***Liczba realizacji zewnętrznej 5***

*Pochodząca od 1 i 4:*
Doskonała konfiguracja, pozwalająca na ciągłe rozwijanie się. Konstruktywny rozwój.

*Pochodząca od 2 i 3:*
Bardzo dobra równowaga i zadowalająca komunikatywność. Wybory powinny być podejmowane rozważnie i ostrożnie.

*Pochodząca od 3 i 2:*
Tak jak 2 i 3, lecz należy uważać na rozkojarzenie.

*Pochodząca od 4 i 1:*
Skłonność do zamykania się we własnych granicach. Impulsywność do opanowania.

*Pochodząca od 5 i 9:*
Konfiguracja pozwalająca na sukces w terenie, szczególnie związany z podróżami i wymianą międzynarodową. Niestałość, doktrynerstwo.

*Pochodząca od 6 i 8:*
Duża impulsywność i nadmierne wymagania wobec bliskich. Talent do negocjacji i odnoszenia sukcesów materialnych lub finansowych.

*Pochodząca od 7 i 7:*
Wibracja inteligencji i wrodzonego zmysłu strategicznego. Trudności z odnalezieniem swojego miejsca w hierarchii i podporządkowaniem się. Doskonała dla podróżników.

*Pochodząca od 8 i 6:*
Bardzo dynamiczna konfiguracja z gwarantowanymi rezultatami, choć zdarza się podejmowanie zbyt dużego ryzyka i nieprzewidywalne reakcje. Duży upór.

*Pochodząca od 9 i 5:*
Ogromna potrzeba ambitnego realizowania się, z możliwością nauki i dydaktyki. Doskonała wibracja dla podróży.

***Liczba realizacji zewnętrznej 6***

*Pochodząca od 1 i 5:*
Władczość i niezależność w połączeniu ze sprawiedliwą oceną relacji międzyludzkich.

*Pochodząca od 2 i 4:*
Zrównoważona wibracja pozwalająca na dobrze zaplanowane i trwałe przedsięwzięcia. Zdolność do poświęceń.

*Pochodząca od 3 i 3:*
Kreatywność, zaradność w interesach. Energia do wykorzystania.

*Pochodząca od 4 i 2:*
Tak jak 2 i 4, lecz 4 ma skłonność do przesadnego kontrolowania biegu wydarzeń lub ich opóźniania.

*Pochodząca od 5 i 1:*
Dynamiczna wibracja, obiecująca dobre rezultaty, pod warunkiem że zachowana zostanie minimalna wolność działania.

*Pochodząca od 6 i 9:*
6 poszerzona o cechy 9, choć wymagania, a również perfekcjonizm są nasilone, co czasem prowadzi do napięć w terenie.

*Pochodząca od 7 i 8:*
Wyrachowanie siódemki i energia ósemki tworzą połączenie zręczności i skuteczności w działaniach. Gwarantowane rezultaty ambitnych działań.

*Pochodząca od 8 i 7:*
Pełna mobilizacja energii i działań wykonywanych z inteligencją, co prowadzi do bardzo dobrych rezultatów.

*Pochodząca od 9 i 6:*
Idealistyczna wizja i zdolność doprowadzenia przedsięwzięcia do końca lub wywiązania się ze zobowiązania. Zmienne wyniki, czasem bardzo dobre. Należy czuwać nad równowagą w stosunkach międzyludzkich.

***Liczba realizacji zewnętrznej 7***

*Pochodząca od 1 i 6:*
Wibracja idealna dla niezależnego doradztwa lub wszystkiego, co wymaga badania i diagnozy lub specjalistycznej realizacji.

*Pochodząca od 2 i 5:*
Zdolności do wykonywania zawodu, który wymaga szczególnych kompetencji i finezji, interesujących kontaktów i czasami specjalistycznego wykształcenia. Owocny rozwój, choć czasem chwiejny.

*Pochodząca od 3 i 4:*
Korzystne realizacje i możliwości, z koniecznością swobodnego komunikowania się. Konstruktywny rozwój.

*Pochodząca od 4 i 3:*
Bardzo rozbudowana konfiguracja, czasem nawet ograniczająca, ale rozwój jest stabilny i solidny.

*Pochodząca od 5 i 2:*
7 realizuje się w wielu różnorodnych wymiarach i zróżnicowanych przedsięwzięciach. Interesująca wibracja, lecz nie zawsze łatwo jej zachować wolność.

*Pochodząca od 6 i 1:*
Duża odpowiedzialność może stłumić skuteczność siódemki, która i tak weźmie górę. Będzie wyznaczać, mianować i rozdzielać zadania.

*Pochodząca od 7 i 9:*
Doskonała konfiguracja dla kariery związanej z humanistyką, dla podróży, odkryć. Wszystko, oprócz interesów wyłącznie materialnych i oprócz zarządzania.

*Pochodząca od 8 i 8:*
Niewiarygodna energia potrzebuje ambitnych działań i zaangażowania w nich całej osoby.

*Pochodząca od 9 i 7:*
Tak jak 7 i 9, ale z pasją i poświęceniem silniejszej dziewiątki.

***Liczba realizacji zewnętrznej 8***

*Pochodząca od 1 i 7:*
Duża skuteczność i ogromna energia w akcji.

*Pochodząca od 2 i 6:*
Dobre zarządzanie, tak dobrami materialnymi, jak i ludźmi, co gwarantuje długotrwały sukces.

*Pochodząca od 3 i 5:*
Idealna dla działań w terenie, bardzo rozwinięta komunikatywność, transakcje finansowe prowadzące do owocnych rezultatów. Należy unikać rozkojarzenia.

*Pochodząca od 4 i 4:*
Organizacja, trwały wysiłek, powaga przedsięwzięć są największymi atutami w drodze do sukcesu. Brakuje jedynie odrobiny elastyczności, ale i tak rezultat gwarantowany.

*Pochodząca od 5 i 3:*
Duża łatwość ekspresji, przekonywania, upiększania każdej rzeczy. Bardzo przekonywające, lecz należy uważać na niestałość i rutynę.

*Pochodząca od 6 i 2:*
Dobra równowaga połączona z trafną oceną, co pomaga osiągnąć sukces w pracy.

*Pochodząca od 7 i 1:*
Konieczność realizowania się na swój własny sposób i zgodnie z własnym rytmem. Skłonność do nadmiernej skrytości. Oryginalne rozwiązania w nieoczekiwanych sytuacjach.

*Pochodząca od 8 i 9:*
Idealnie dopasowana konfiguracja, aby odnieść oszołamiający sukces. Należy jednak uważać na chwiejność samopoczucia, upór i arogancję.

*Pochodząca od 9 i 8:*
Jak wyżej, lecz należy uważać na rozchwianie emocjonalne i utratę poczucia rzeczywistości.

### *Liczba realizacji zewnętrznej 9*

*Pochodząca od 1 i 8:*
Spełnienie w ambitnych przedsięwzięciach, które najprawdopodobniej zostaną docenione przez otoczenie.

*Pochodząca od 2 i 7:*
Zmienność decyzji i wyborów może osłabić siłę realizacji lub poziom sukcesu. Predyspozycje pozwalające na stopniowy rozwój.

*Pochodząca od 3 i 6:*
Doskonała konfiguracja dla tworzenia i rozwijania pomysłów prowadzących do sukcesu związanego z działalnością społeczną lub publiczną. Bardzo rozwinięta komunikatywność.

*Pochodząca od 4 i 5:*
Konfiguracja raczej ograniczająca. Wymaga wielkiego wysiłku, aby uzyskać i utrzymać równowagę. Z doświadczeniem 4 pozwala korzystnie uformować 5 i 9.

*Pochodząca od 5 i 4:*
Tlen 5 i jej niesamowita zdolność adaptacji pozwalają rozwinąć się 4 i w ten sposób uzyskany jest pełny wymiar 9. Dobra wibracja dla reklamy handlowej.

*Pochodząca od 6 i 3:*
Dobra wibracja, łącząca poczucie odpowiedzialności i uczynność z komunikatywnością i kreatywnością. Wszystko to prowadzi do sukcesu w każdej dziedzinie.

*Pochodząca od 7 i 2:*
Poza sukcesem w specjalistycznych i bardzo wyszukanych dziedzinach przyporządkowanych tej wibracji należy zauważyć, że jest ona niekorzystna dla interesów i trwałości przedsięwzięć.

*Pochodząca od 8 i 1:*
Konfiguracja bardzo skuteczna i stabilna na poziomie kariery i praktycznej strony życia. Należy unikać samozaparcia.

*Pochodząca od 9 i 9:*
Bardzo szerokie realizacje i możliwości rozwoju w wielu dziedzinach, pod warunkiem omijania niebezpieczeństwa irrealistycznych złudzeń. Łatwość kontaktu z zagranicą.

## 4) TABLICA ZGODNOŚCI LICZB OSOBISTYCH

| | 1 | 2 | 3 | 4 | 5 | 6 | 7 | 8 | 9 |
|---|---|---|---|---|---|---|---|---|---|
| **1** | + | = | + | = | + | = | + | = | + |
| **2** | = | + | + | + | – | + | = | + | = |
| **3** | + | + | + | = | + | + | + | = | + |
| **4** | = | + | = | + | = | + | + | + | – |
| **5** | + | – | + | = | + | – | + | = | + |
| **6** | = | + | + | + | – | + | = | = | + |
| **7** | + | = | + | + | + | = | + | = | = |
| **8** | = | + | = | + | = | = | = | + | = |
| **9** | + | = | + | – | + | + | = | = | + |

## 5) TABELA SKŁADNIKÓW (ILOŚĆ POSZCZEGÓLNYCH LICZB W IMIENIU I NAZWISKU)

***Liczba 1:*** Ego, „jestem", własne inicjatywy, kreatywność.
*Cechy charakterystyczne:* Zmysł praktyczny, ugruntowana osobowość, władczość, niezależność.
*Zawody:* Pisarz, wynalazca, rzemieślnik, niezależny pracownik.
*Brak 1:* Brak wiary we własną kreatywność, silna potrzeba bycia docenianym. Czasem skłonności do oczerniania się i wyznaczania sobie kar.

***Liczba 2:*** Bliski związek z drugim człowiekiem (współmałżonek, przyjaciel, współpracownik).
*Cechy charakterystyczne:* wrażliwość na otoczenie (osoby, miejsca), zmysł współpracy, partnerstwa, dwoistość, potrzeba znajomości własnych

korzeni, przynależności, zdolności kreatywne: sztuka, reklama, silna uczuciowość.

*Zawody:* asystent, wspólnik (interesy, gabinet), artysta (śpiew, taniec, malarstwo), twórczy rękodzielnik (dekorator itp.), publicysta, chirurg.

*Brak 2:* kłopoty w stosunkach z bliskimi (życie prywatne, życie zawodowe), problemy w związkach lub stowarzyszeniach (zbytnie poleganie na współpracownikach, ogromny brak zaufania do siebie), niecierpliwość, nerwowość, czasem chorobliwa.

***Liczba 3:*** Ekspresja, komunikacja, życie społeczne, kontakty, rozrywka.

*Cechy charakterystyczne:* Potrzeba komunikowania, różnorodność zainteresowań, lotność umysłu i szybkość działań, gościnność.

*Zawody:* Promotor, twórca, pomysłodawca lub przywódca (w każdej dziedzinie), handlowiec, szef produkcji, działalność związana z komunikacją.

*Brak 3:* Ograniczona lub bardzo selektywna ekspresja. Czasem skłonność do zamykania się w sobie, ucieczki od świata zewnętrznego. Blokada w realizowaniu własnego talentu lub daru, skłonność do przesady, rozkojarzenia, ekstrawagancji.

***Liczba 4:*** Praca, konkretne plany, organizacja, drobne problemy zdrowotne.

*Cechy charakterystyczne:* Zmysł praktyczny, poważne usposobienie, sumienność, odporność i wytrwałość, cierpliwość, zdolności praktyczne.

*Zawody:* Funkcje organizacyjne, odpowiedzialne stanowiska w przemyśle, w prywatnej lub publicznej firmie, kariera prawnicza, bankowa, zawody techniczne.

*Brak 4:* Odrzucenie schematów, hierarchii, brak koncentracji, lenistwo lub niesolidność, trudności z pełnieniem funkcji czysto wykonawczej, problemy z podporządkowaniem.

***Liczba 5:*** Zmiany, podróże, transformacje życiowe, doświadczenia, odkrycia.

*Cechy charakterystyczne:* Zdolność adaptacji, niezależność, mobilność, zamiłowanie do podróży i nowości, urok i dar ekspresji.

*Zawody:* Adwokat, aktor, kariera polityczna, wojskowa, zawody o dużej mobilności.

*Brak 5:* Problemy z adaptacją, obawa przed nowościami, władczość i zachłanność w sferze uczuciowej, przytłaczające związki, brak otwartości.

***Liczba 6:*** Bogate życie uczuciowe, rodzina, odpowiedzialność, obowiązkowość.
*Cechy charakterystyczne:* Trafne osądy, przenikliwość, uczynność, znajomość tego, co ludzkie, poszukiwanie harmonii, bezpieczeństwa, zamiłowanie do piękna, wygody, poszukiwanie równowagi uczuciowej.
*Zawody:* Prawo, filozofia, socjologia, psychologia, moda, estetyka, architektura, dekoratorstwo, handel.
*Brak 6:* Duże wymagania i perfekcjonizm wobec bliskich, skrajne reakcje związane ze stresem, kłopoty rodzinne, upór. Czasem brak obowiązkowości.

***Liczba 7:*** Życie intelektualne, wiedza, studia, nauki ścisłe, życie wewnętrzne, duchowość, zdrowie (moralne lub psychiczne).
*Cechy charakterystyczne:* Refleksyjność, przenikliwość, analiza i praca nad sobą, zamiłowanie do nauki, do samodoskonalenia, potrzeba przestrzeni (natura, morze), intuicja, eksperymentowanie.
*Zawody:* Lekarz, farmaceuta, psycholog, terapeuta, informatyk, wydawca, zawody związane z ziemią i morzem, analityk finansowy, doradca w zarządzaniu lub interesach, wynalazca, twórca, badacz.
*Brak 7:* Brak wiary w siebie, niepokoje wewnętrzne, pesymizm, strach przed izolacją, trudności w kontaktach z drugim człowiekiem, w radości życia, konieczność opanowania własnych rozterek.

***Liczba 8:*** Finanse, giełda, środowisko interesów, kariera, polityka, władza.
*Cechy charakterystyczne:* Dążenie do konkretnej realizacji własnych projektów i ambicji, poszukiwanie komfortu materialnego, odporność fizyczna i emocjonalna, odwaga i determinacja.
*Zawody:* Bankier, ubezpieczyciel, handlowiec, transport, przemysł ciężki, duże przedsiębiorstwa, chirurg, rehabilitant, adwokat, kariera publiczna (polityk, administracja na wysokim szczeblu), ekonomista.
*Brak 8:* Błędne osądy w sprawach materialnych i finansowych, strach przed wykorzystaniem sposobności, obojętność (lub wręcz przeciwnie – nieposkromione uwielbienie) wobec pieniądza, silny charakter. Konsekwencje brakującej 8 mogą być bardzo brutalne; należy szukać równowagi i rozwijać zmysł sprawiedliwości.

*Liczba 9:* Dobra komunikacja, zbiorowość, zagranica, pedagogika, altruizm.

*Cechy charakterystyczne:* Ogromna energia działania na rzecz drugiego człowieka, interesujące plany wobec zbiorowości, świata, zagranicy, zamiłowanie do dalekich podróży, kosmopolitycznego życia, silne zaangażowanie emocjonalne, duża uczuciowość, siła działania.

*Zawody:* Ukierunkowane społecznie (pielęgniarka, położna, opiekun, sprawy socjalne, nauczyciel pedagog, wychowawca), związane z zagranicą (import-export, transport, turystyka), prawnik, dziennikarz, socjolog, artysta, reżyser (kinowy, telewizyjny), zawody publiczne.

*Brak 9:* Konieczne jest przekroczenie własnego ego, aby otworzyć się na drugiego człowieka. Problemy uczuciowe rekompensowane pieniądzem i dobrami materialnymi, zazdrość lub nadmierna zaborczość, brak dojrzałości.

### 6) DZIEŃ URODZENIA

**1.** Silna wola. Niezależność. Zdolności organizacyjne, ale nie wykonawcze. Refleksyjność, inteligencja praktyczna.

*Okazywanie uczuć. Potrzeba uznania, docenienia, egocentryzm.*

**2.** Podatność na wpływy otoczenia, nadwrażliwość. Potrzeba przyjaźni, bezpiecznej sytuacji materialnej. Zdolności muzyczne, śpiew, taniec. Huśtawka nastrojów.

*Duża nerwowość. Niecierpliwość, nieuwaga. Skłonność do depresji. Lenistwo wynikające z braku motywacji.*

**3.** Żywe i entuzjastyczne usposobienie. Ekspresja. Zdolność wysławiania się. Bardzo wyostrzony zmysł krytyczny. Różnorodne zainteresowania. Towarzyskość i potrzeba życia w grupie. Energia powinna zostać wykorzystana w działaniu.

*Burzliwe życie uczuciowe. Regularne trudne okresy.*

**4.** Osobowość przywiązana do takich wartości jak: jakość życia, zdrowa żywność, natura, dom, rodzina. Zamiłowanie do pracy, czasem skłonność do nadgorliwości. Potrzeba kreatywnego, rzemieślniczego hobby.

*Skłonność do despotyzmu, niedostrzeganie żadnych niuansów. Trudności z wyrażaniem uczuć i emocji.*

**5.** Łatwość dostosowywania się. Żywy, przenikliwy, syntetyczny umysł. Zamiłowanie do zmian i nowości. Poszukiwanie różnorodnych kontaktów. Elokwencja, zwykle przyjemny tembr głosu. Jeśli zachowana jest pewna niezależność, udane życie uczuciowe.

*Niestabilność, impulsywność i przesada.*

**6.** Dominują uczucia; poszukiwanie harmonii w sferze emocjonalnej. Wrażliwość na krytykę. Strach przed samotnością lub porzuceniem. Potrzeba życia towarzyskiego.

Talent artystyczny, literacki, wrażliwość estetyczna. Zamiłowanie do komfortu i piękna. Bezpieczna sytuacja materialna.

*Skłonność do obwiniania się.*

**7.** Rozsądek i analiza. Bardzo dobra intuicja. Doskonałe wyczucie w interesach, wskazana duża ostrożność przy różnego rodzaju spekulacjach. Potrzeba przestrzeni, natury. Poszukiwanie głębokich, przyjacielskich kontaktów.

*Problemy rodzinne. Czasem wybór niezależności. Należy czuwać nad zdrowiem psychicznym i fizycznym.*

**8.** Pracowitość i kariera. Poczucie obowiązku i umiejętność zarządzania. Wielkie przedsiębiorstwa i firmy w okazałych siedzibach. Zamiłowanie do wartościowych przedmiotów, kolekcji sztuki, pięknych książek. Przywiązanie do tradycyjnego modelu rodziny.

*Pełne i nieskomplikowane usposobienie. Problemy w związkach wynikające z niedostosowania.*

**9.** Hojność i otwartość na drugiego człowieka. Wzbudza sympatię. Bardzo kontaktowy i zdolny dostosować się do każdych warunków. Zamiłowanie do podróży. Kreatywność i wyobraźnia. Romantyk. Lubi zmiany.

*Intensywne i czasem kłopotliwe życie uczuciowe. Napięcia w związku. Zawody, rozczarowania przyjaciółmi.*

**10.** Bogate wnętrze, wiele zainteresowań. Potrzeba różnorodności zmian, rytmu życiowego. Szybkość działania. Zręczność w wielu dziedzinach, wyczucie w interesach. Żywotność. Mile widziana niezależność.

*Duże wymagania w życiu prywatnym (zaborczość, zazdrość). Brak zainteresowania życiem domowym, a nawet rodzinnym.*

**11.** Silny charakter, determinacja, skrajne poglądy. Energia nieregularna, lecz skuteczna. Potrzeba komfortu, luksusu i głośnego sukcesu. Bardzo intensywnie przeżywane uczucia.
*Niecierpliwość i nerwowość. Skrajne reakcje. Pryncypialność wobec bliskich.*

**12.** Komunikatywna i czarująca osobowość. Kocha życie i dążenie do szczytnych celów. Pewien magnetyzm, dobra energia, intelektualne i kreatywne zdolności. Zainteresowanie sztuką. Zamiłowanie do piękna. Siła przekonywania, dotrze do każdego środowiska.
*Skłonność do rozkojarzenia w zainteresowaniach i działalności. Czasem kłopotliwe związki uczuciowe.*

**13.** Duża wrażliwość. Poczucie rzeczywistości, kariera związana z ziemią, podłożem, budownictwem lub handlem. Konstruktywne projekty zawodowe, przywiązanie do tradycyjnego modelu rodziny.
*Trudności w okazywaniu uczuć. Zbyt żywe reakcje emocjonalne. Upór, dominacja.*

**14.** Refleksyjność i nerwowość. Otwartość i potrzeba niezależności w działaniu. Zamiłowanie do sztuki, zainteresowanie wszystkim, co ludzkie, sprawami całego społeczeństwa. Energia, która szybko się regeneruje. Częste zmiany mile widziane.
*Niestałość, również w związkach i uczuciach. Należy opanować ewentualne uzależnienia.*

**15.** Hojna, ujmująca osobowość. Wielu przyjaciół. Dużo szczęścia, niespodziewane wsparcie. Dobre zdrowie i świeżość umysłu. Zamiłowanie do domu, korzeni. Kreatywność, czasem w muzyce. Możliwe również zainteresowanie prawem, naukami humanistycznymi, dyplomacją i interesami.
*Uparty charakter, który narzuca swoje poglądy lub życiowy rytm. Nikomu nie poddaje się, nawet gdy w grę wchodzą uczucia.*

**16.** Nerwowość i wrażliwość. Logiczny i analityczny umysł, rozsądek. Wysoka jakość w wielu dziedzinach.
*Trudności z okazywaniem uczuć i nastrojów, co czasem powoduje problemy w sferze emocjonalnej. Huśtawka nastrojów.*

**17.** Wysokie aspiracje i szczere pragnienie rozwoju, samodoskonalenia. Ściśle określone i praktyczne cele. Hojność, ciepło. Gwałtowne i bogate usposobienie.
*Ryzyko rozkojarzenia, roztrzepania, kłopoty z zarządzaniem finansami i dobrami materialnymi.*

**18.** Potrzeba mobilności, różnorodnych doświadczeń i niezależności w działaniu. Kontakty z zagranicą, wielkie przestrzenie, publiczność, działanie w grupie. Organizacja i animacja. Bogactwo kulturowe, humanistyczne i altruistyczne cele, zwykle niematerialne pobudki. Sukces przychodzi stopniowo.
*Rozczarowania i zawody w związkach i sferze emocjonalnej. Niezbędna przenikliwość przy podejmowaniu wszelkich zobowiązań.*

**19.** Bogate wnętrze, logika i rozsądek. Wytrwałość w realizacji projektów i celów. Potrzeba niezależności w działaniu. Czasem szuka spełnienia w nieznanych dziedzinach. Duża energia do opanowania.
*Skłonność do egocentryzmu, brak otwartości, przesadna surowość. Kłopoty w związkach i życiu uczuciowym.*

**20.** Wrażliwość, zdolność wysłuchania drugiego człowieka, współpraca. Potrzeba życia w związku, zapewnienia bezpieczeństwa, szczerych przyjaźni. Przywiązanie do rodziny, domu, wsi. Bardzo słabo rozwinięty zmysł praktyczny.
*Nadwrażliwość, chwiejność, brak wiary w siebie i w drugiego człowieka. Wywiązanie się z poważnych obowiązków i odpowiedzialność sprawiają trudności.*

**21.** Ekspresja, szerokie kontakty i przyjaźnie. Elokwencja i dar przekonywania. Zamiłowanie do komfortu, piękna, sztuki. Nowe pomysły, koncepcje. Predyspozycje do wykonywania zawodów związanych z przekazem.
*Nerwowość i rozkojarzenie. Skłonność do przytłaczania bliskich.*

**22.** Osoby ambitne i konstruktywne, zdolne do dużego wysiłku, wytrwałe. Idealizm i poszukiwanie absolutu, co czasem powoduje rozczarowanie. Bardzo rozwinięta kreatywność, zamiłowanie do nowości i wynalazków, talent do negocjacji z grupą.

*Niestabilna równowaga. Nierealistyczne lub bardzo wąskie poglądy. Upór i ograniczenie. Nietrafne wybory.*

**23.** Czarująca, sympatyczna i towarzyska osoba. Lotność umysłu i dobre kontakty z drugim człowiekiem. Analityczny i syntetyczny umysł. Możliwy sukces w wielu dziedzinach. Związki, przyjaźnie.
*Niecierpliwość, nerwowość. Niestałość, szaleństwo. Czasem, próżność lub pobłażliwość wobec innych.*

**24.** Poczucie obowiązku i uczynność. Uczuciowość, poszukiwanie równowagi i bezpieczeństwa. Zamiłowanie do piękna, sztuki. Kreatywność. Marzycielstwo.
*Ryzyko złudzeń i, co za tym idzie, rozczarowań. Skłonność do marnotrawienia energii, czasu i pieniędzy. Wyolbrzymianie wydarzeń z codziennego życia.*

**25.** Wrażliwość, intuicja, fascynacja odwiecznymi pytaniami o sens życia i śmierci. Nadwrażliwość emocjonalna, podejrzliwość i wielka potrzeba snucia marzeń, idealizowanie. Twórczy talent lub wynalazczość. Oryginalność.
*Trudności z okazywaniem uczuć. Zamknięcie się w sobie, depresje. Bardzo chwiejne życie uczuciowe. Niestabilne życie od przygody do przygody.*

**26.** Silna i przedsiębiorcza osobowość. Wyczucie sytuacji i kontaktów. Wiele projektów i zainteresowań. Intuicja w interesach, kreatywność i zmysł artystyczny. Spełnienie, kariera, przywiązanie do takich wartości jak: małżeństwo, dzieci, dom. Hojność, czasem jednak dominacja i manipulacja.
*Surowość, arogancja, nawet nietolerancja. Zbyt duże wymagania wobec otoczenia.*

**27.** Wybitna osobowość o wielkiej determinacji i sile. Działa w sferze dotyczącej zbiorowości, świata, zagranicy. Talent literacki lub artystyczny. Zainteresowanie pedagogiką, dziennikarstwem. Przyjaźń i bardzo intensywne uczucia.
*Huśtawka nastrojów, wiele przeciwności, czasem lekkomyślność i zniechęcenie. Trudności w sferze emocjonalnej.*

**28.** Energiczny i mściwy charakter. Zdecydowanie i wytrwałość. Zamiłowanie do zmian, życia towarzyskiego, oryginalna twórczość i niekonwencjonalne pomysły. Kocha dzielić się, nauczać. Niezależność w działaniu.
*Skłonność do szybkiego zniechęcania się po najmniejszym nawet rozczarowaniu lub niepowodzeniu. Czasem lekkomyślność, lenistwo, utopijne marzenia.*

**29.** Nadwrażliwa osobowość o wysokich aspiracjach i bardzo dużych wymaganiach. Dążenie do osiągnięcia ideału, realizacji marzeń. Pełne, bardzo uczuciowe i ekspresyjne usposobienie. Dobry materiał na szefa. Zdolność tworzenia więzi, rozwój związany ze zbiorowością.
*Trudny charakter. Duża nerwowość. Trudności z zaakceptowaniem rzeczywistości. Rozczarowanie przyjaźnią. Rozkojarzenie i skłonność do depresji.*

**30.** Ekspresja, jednak dość ograniczone poglądy. Spontaniczne pomysły i żywość w działaniu. Możliwe zarządzanie. Lubi uwodzić i podobać się. Zainteresowanie przekazem.
*Skłonność do niepokoju, obsesji, dominacji. Pragnie zawsze mieć rację.*

**31.** Konstruktywne i kreatywne usposobienie. Możliwy sukces w interesach, kreatywność w dziedzinach artystycznych lub estetycznych, zawodach związanych z człowiekiem. Potrzeba solidnej równowagi w sferze emocjonalnej, niezależności i różnorodnych znajomości. Zamiłowanie do podróży.
*Trudności z zarządzaniem dobrami materialnymi. Nierealistyczne i złudne aspiracje. Rozczarowania w kontaktach z ludźmi.*

## 7) LICZBA ROZWOJU

***Liczba 1:*** Aktywność i ambicja, które pozwalają iść do przodu.
Umysł ścisły, logika, niezależność, opanowanie, kreatywność.
Spełnienie i sukces.
Należy przede wszystkim polegać na samym sobie.

***Liczba 2:*** Zdolność współpracy, pracy w stowarzyszeniach lub w grupie.
Przyjaźń, małżeństwo, związek.

Jeśli 2 pochodzi od 11: silna emocjonalność, inteligencja, ideały i dobre uczynki, również na płaszczyźnie rodzinnej. Czasem skłonność do ekstremalnych zachowań w sferze uczuciowej.

Udane interesy, dobre stosunki międzyludzkie.

Aby osiągnąć cel, należy zaufać partnerowi, nauczyć się wycofywać i nie kusić losu.

***Liczba 3:*** Aktywność i ekstrawersja ułatwiają komunikację.

Spontaniczność, entuzjazm, łatwość ekspresji, dynamizm.

Kreatywność, swoboda w każdej formie komunikacji.

Należy rozwijać środki ekspresji i kreatywność, uważając na rozkojarzenie.

***Liczba 4:*** Efektywność, przedsiębiorczość, produktywność, dyscyplina.

Solidność, wytrwałość, organizacja i profesjonalizm.

Jeśli 4 pochodzi od 22: bogata osobowość, intuicja, uduchowienie, ambitne plany związane ze zbiorowością. Czasem blokady lub trudności z realizowaniem się.

Sukces przychodzi wraz z doświadczeniem. Stałość. Wygoda. Bezpieczeństwo. Efekty.

Należy przykładać się do pracy, panować nad emocjami i zbudować solidne podstawy.

***Liczba 5:*** Zdolności adaptacyjne, ciekawość świata, pragnienie nowości.

Bystrość, wyrozumiałość, perswazja, urok, zamiłowanie do przygody, niezależność.

Realizuje się w sposób ekspansywny i swobodny.

Podróże, nowości w każdej dziedzinie.

Należy zaadaptować się do zmieniającej się sytuacji, a nie dać się sparaliżować przez strach i nerwowość.

***Liczba 6:*** Odpowiedzialność, zaangażowanie, otwartość na kontakt z otoczeniem i społeczeństwem.

Miłość, hojność, potrzeba dzielenia się.

Kreatywna energia, wyczucie piękna.

Solidne realizacje, bezpieczne ognisko domowe, udane życie uczuciowe.

Należy zaakceptować obowiązki, unikając obwiniania się i w razie sporów dążąc do ugody.

***Liczba 7:*** Refleksyjność, żywa inteligencja, umiejętność wysłuchania drugiego człowieka.
Autonomia, potrzeba przestrzeni, zmysł artystyczny, pomysłowość, poczucie humoru, przyjaźń.
Kontakty pozwalające iść do przodu. Odkrycia, doświadczenia wzbogacające wiedzę. Szczęście.
Należy utwierdzać wiarę w siebie i w życie, uczyć się i doskonalić, w chwilach samotności unikać strachu lub zwątpienia.

***Liczba 8:*** Energia, waleczność, spełnienie, skuteczność.
Poszukiwanie równowagi lub sprawiedliwości, silna wola i dążenie do sukcesu. Rozwój. Ambitne działania, kariera w hierarchii społecznej, władza, lecz ryzyko porażki lub upadku przy błędnej ocenie.
Należy przede wszystkim polegać na sobie i rozsądnie korzystać ze środków materialnych lub finansowych, czuwając nad szczegółami i pozostając sprawiedliwym.

***Liczba 9:*** Wyrozumiałość, współczucie, zaangażowanie w przedsięwzięcie i kwestie społeczne, umiejętność realizowania się przed szeroką publicznością, za granicą.
Uczuciowość, pasja, poczucie własnej wartości, pełne zaangażowanie, wyobraźnia, prawdziwa szczodrość. Bardzo bogate doświadczenia.
Sukces, popularność, autorytet, lecz również ryzyko zawodów w sferze uczuciowej.
Należy unikać niebezpieczeństwa złudzeń, destabilizujących pasji, przesadnej egzaltacji, narzucanych sobie obowiązków.

## III. SYNTEZA INTERPRETACJI DLA MARGARET ROBINSON

### PRZYPOMNIENIE

M A R G A R E T (Liczba aktywna)
4 1 9 7 1 9 5 2 = 38 = 11 = **2**

R O B I N S O N (Liczba dziedziczna)
9 6 2 9 5 1 6 5 = 43 = **7**

Liczba wyrazu = 38 + 43 = 81 = **9**

M A R G A R E T     R O B I N S O N
1     1     5         6     9     6
= 7+ 21 = 28 = 10 = **1** (Liczba duszy)

M A R G A R E T     R O B I N S O N
4   9 7   9   2     9   2   5 1   5
= 31 + 22 = 53 = **8** (Liczba realizacji zewnętrznej)

| Tabela składników | | | | | | Dzień urodzenia | Liczba rozwoju |
|---|---|---|---|---|---|---|---|
| 1 | 2 | 3 | 3 | 2 | 0 | | 1 |
| 4 | 5 | 6 | 1 | 3 | 2 | 12 | (19 = |
| 7 | 8 | 9 | 1 | 0 | 4 | | 1 + 9 = 10) |

Brakujące liczby = **3** i **8**

• **LICZBA WYRAZU 9 OD 2 (AKTYWNA) I 7 (DZIEDZICZNA)**
Duża emocjonalność i wysokie aspiracje. Uczuciowy, silny charakter, lecz skłonność do popełniania błędów.
Potrzeba altruizmu, dzielenia się, przekazywania.
Chęć ucieczki. (Patrz interpretacja II, 1 z rozdziału Osobowość).

• **LICZBA AKTYWNA 2. LICZBA DZIEDZICZNA 7**
Wrażliwe usposobienie, kobiece i bardzo podatne na otoczenie. Huśtawka nastrojów, nadwrażliwe reakcje. Niechęć do wyrzeczeń. (Patrz interpretacja II, 1, b z rozdziału Osobowość).

• **LICZBA DUSZY 1 OD 28 (= 10; PODLICZBA) I 7 (IMIĘ) I 3 (NAZWISKO)**
Nastawienie na osobisty sukces. Indywidualizm i kreatywność. Potrzeba afirmacji.
Aspiracje do stworzenia dobrego, a nawet idealnego związku z silną potrzebą admirowania partnera.
Skłonność do dominacji i egoizmu.
(Patrz interpretacja II, 2 z rozdziału Osobowość).
Pochodząca od 7 i 3: Mocna kreatywność i otwartość umysłu.
(Patrz interpretacja II, 2, b, z rozdziału Osobowość).

- **LICZBA REALIZACJI ZEWNĘTRZNEJ 8 OD 53 (PODLICZBA) I 4 + 4 (IMIĘ I NAZWISKO)**

Zdolność do realizowania się w terenie oraz ambitnego i solidnego spełnienia. Waleczność i odporność (fizyczna i moralna). Czasem talent do interesów i zarządzania.

Skłonność do arogancji, braku elastyczności, zachłanności.

(Patrz interpretacja II, 3 z rozdziału Osobowość).

Pochodząca od 4 i 4: Dobra organizacja, owocny wysiłek, powaga w działaniu są głównymi atutami gwarantującymi sukces. Brak elastyczności, niemniej rezultat jest pewny.

(Patrz interpretacja II, 3, b z rozdziału Osobowość).

- **POROZUMIENIE MIĘDZY LICZBAMI OSOBISTYMI (WYRAZU, DUSZY I REALIZACJI ZEWNĘTRZNEJ)**

Liczba wyrazu 9 w zgodzie z liczbą duszy 1: „ja" wyrazu (liczba wyrazu) jest w zgodzie z „ja" duszy, zewnętrzna osobowość z wewnętrzną: brak przeciwieństw i hipokryzji.

Liczba wyrazu 9 jest w zgodzie z liczbą realizacji zewnętrznej 8: „ja" wyrazu (liczba wyrazu) jest w zgodzie z „ja" zewnętrznym (liczba realizacji zewnętrznej). Podmiot ma łatwość ekspresji na płaszczyźnie profesjonalnej i konkretnej, wykonywany przez niego zawód pozwala na wyrażanie siebie.

Liczba duszy 1 w zgodzie z liczbą realizacji zewnętrznej 8: podmiot ma możliwość realizacji swoich aspiracji.

(Patrz interpretacja II, 4 z rozdziału Osobowość).

- **BRAK LICZB 3 I 8 (TABELA SKŁADNIKÓW)**

Liczba 3: ograniczona i selektywna ekspresja, odmowa pozornych związków, skłonność do zamykania się w sobie, ucieczki od świata. Blokada przy wyrażaniu uczuć lub talentu; skłonność do nadmiernego rozkojarzenia.

Liczba 8: błędne osądy w kwestiach materialnych, dotyczących pieniędzy; strach przed wykorzystaniem okazji i szczęścia. Należy we wszystkim dążyć do równowagi.

(Patrz interpretacja II, 5 z rozdziału Osobowość).

- **DZIEŃ URODZENIA 12**

Komunikatywna i czarująca natura. Kocha życie i ambitne przedsięwzięcia. Pewien magnetyzm, dobra energia i zdolności intelektualne lub kreatywne. Pociąg do sztuki. Umiłowanie piękna. Dobra komunikacja z ludźmi z każdego środowiska.

Skłonność do rozbieżności zainteresowań i działań. Czasem burzliwe związki uczuciowe.
(Patrz interpretacja II, 6 z rozdziału Osobowość).

## KOMENTARZ

Margaret Robinson ma stałe i namiętne usposobienie. Jej nastroje są zmienne i silnie przeżywa emocje. Jest bardzo kobieca i otwarta na otaczających ją ludzi. Zdolna do wielkiej hojności, zawsze gotowa przyjść z pomocą, nie jest jednak skłonna do wszystkich wyrzeczeń.

Przede wszystkim pragnie realizować się dzięki samej sobie i potrzebuje w pełni wyrażać swoją kreatywność. Ponadto czuje się swobodnie w towarzystwie i potrafi dobrze słuchać.

W akcji jest kobietą bardzo zdecydowaną i ambitną. Wyróżnia się kompetencjami, poczuciem konkretów, odwagą i odpornością. Jej ocena może być mylna, jeśli nękają ją uczucia lub jeśli nie akceptuje rzeczywistości.

Doskonała kariera w dziedzinie komunikacji i kreatywności. (Liczba wyrazu 9, trzy litery o wartości 5 w składnikach, dzień urodzenia 12). Ważne jest, aby zachowała niezależność. (Liczba duszy 1, rozwoju 1 i jedna litera o wartości 4 w składnikach).

Na płaszczyźnie uczuciowej Margaret powinna panować nad emocjami i wybuchami, które mogą stworzyć niekomfortowe sytuacje. Pragnie żyć w udanym związku; potrzebuje podziwiać partnera, choć nie chce być od niego zależną. Należy więc odnaleźć najkorzystniejszy układ sił.

Jest szczera, bezpośrednia, bardzo wymagająca, czasem rygorystyczna. Związek lub małżeństwo są dla niej wyzwaniem. (Liczba wyrazu 9, duszy 1, lecz ma również 2 litery o wartości 6 w składnikach, które czuwają nad równowagą).

Podsumowując temat, Margaret ma duże możliwości kariery. Jej osobowość, czasem wybuchowa, jest ogólnie solidna i dobrze uporządkowana, zharmonizowana.

Życie uczuciowe i emocjonalne zdaje się na pierwszy rzut oka bardziej rozchwiane, lecz wszystko zależy od świadomości Margaret i jej chęci. Doświadczenie i dążenie do dojrzałości często doprowadzają do rozwiązania tych problemów.

## KILKA RAD POMOCNYCH W INTERPRETOWANIU

- Ten przewodnik ogranicza się do podstaw i pozwala na wykonanie godnych zaufania badań, nie wykorzystuje jednak z wszystkich elementów, które można znaleźć w innych materiałach.
- W badaniu konfiguracji Margaret Robinson nie odwołujemy się do podliczb, z których część figuruje w module osobowości; są to podliczby od 10 do 22. I tak, liczba wyrazu 9 pochodzi od 81, liczba realizacji zewnętrznej 8 pochodzi od 53. Te podliczby, oprócz 10 (która, jak można zauważyć, jest 1, gdyż każdy rachunek dążący do otrzymania 1 pochodzi od 10), znajdują się poza używaną tabelą.
- Aby zanalizować wybrany temat, zalecane jest korzystanie z grafiku na końcu tego przewodnika (rozdział 8).
- Należy dochodzić do wyników w podanej kolejności i uważnie przeczytać wszystkie parametry oraz ich interpretację. Niektóre syntezy interpretacji są już gotowe, co ułatwi pracę. W ten sposób, nie robiąc własnej syntezy, stopniowo badając parametry, dojdziecie do właściwego opisu wybranej osoby. Należy nauczyć się grupować parametry dziedzinami i doskonalić badanie przez ćwiczenia. Wtedy interpretacja będzie jeszcze bardziej precyzyjna.
- Należy nauczyć się dostrzegać niuanse i unikać przesady, która może urazić osoby delikatne i bardziej wrażliwe.

Rozdział 2

# DROGA ŻYCIA

## I. WYLICZENIA

Badanie drogi życia rozpoczyna się od dnia urodzenia. Dla Margaret Robinson jest to **12 lipca 1967 roku**.

### 1) WYLICZANIE DROGI ŻYCIA (LUB WIBRACJI URODZENIA)

Należy zsumować liczby tworzące datę urodzenia i uprościć do liczby z przedziału od 1 do 9, zapamiętując podliczbę lub podliczby sprzed upraszczania.

I tak, dla 12 lipca 1967:

**1 + 2 + 7** (lipiec) **+ 1 + 9 + 6 + 7 = 33 = 3 + 3 = 6**

Drogą życia Margaret Robinson jest **6** pochodzące od **33**.

### 2) ZWIĄZEK MIĘDZY DROGĄ ŻYCIA A LICZBAMI OSOBISTYMI

To jest:

- Związek między drogą życia a liczbą wyrazu (tutaj 6 i 9).
- Związek między drogą życia a liczbą duszy (tutaj 6 i 1).
- Związek między drogą życia a liczbą realizacji zewnętrznej (tutaj 6 i 8).

Należy skorzystać z tabeli zgodności liczb osobistych (II, 4 z rozdziału Osobowość) i śledzić polecenia z III, 3 z rozdziału Droga życia.

Potem wystarczy zbadać związek między drogą życiową a brakującymi liczbami (w tym wypadku droga życia nie ma odpowiedniej brakującej liczby). Na badanej przez nas drodze życia nie ma tzw. lekcji karmicznych (II, 5 z rozdziału Osobowość i III, 3 z rozdziału Droga życia).

### 3) TRZY CYKLE DROGI ŻYCIA

Istnieją trzy główne cykle drogi życiowej. Każdy reprezentuje inny wpływ i dostarcza drodze życia cech charakterystycznych dla każdego okresu. Długość cykli zależy od drogi życia (patrz tabela poniżej).

Liczby odpowiadające cyklom to liczby powstałe z daty urodzenia, w następującym porządku:

Cykl pierwszy: miesiąc narodzin

Cykl drugi: dzień narodzin

Cykl trzeci: rok narodzin

Cykle oznaczone są przez 3 liczby, tworzące datę urodzenia, ale uproszczone od 1 do 9.

| Droga życia | Cykl pierwszy | Cykl drugi |
|---|---|---|
| 1 | 0 do 27 lat | 27 do 54 lat |
| 2 (11) | 0 do 26 lat | 26 do 53 lat |
| 3 | 0 do 25 lat | 25 do 52 lat |
| 4 (22) | 0 do 24 lat | 24 do 60 lat |
| 5 | 0 do 32 lat | 32 do 59 lat |
| 6 | 0 do 31 lat | 31 do 58 lat |
| 7 | 0 do 30 lat | 30 do 57 lat |
| 8 | 0 do 29 lat | 29 do 56 lat |
| 9 | 0 do 28 lat | 28 do 55 lat |

Dla Margaret Robinson droga życia 6 zawiera następujące cykle:

- Cykl pierwszy: 0 do 31 lat – czyli od 1967 r. do 1998 r. – cykl 7 (miesiąc narodzin)
- Cykl drugi: 31 do 58 lat – czyli od 1998 r. do 2025 r. – cykl 3 (dzień narodzin)
- Cykl trzeci: po 58 latach – czyli po 2025 r. – cykl 5 (1967 = 23 = 5 – rok narodzin)

Nie do nas należy prorokowanie końcowej daty życia.

**Cykl pierwszy**, inaczej „cykl formujący", obejmuje pierwszą część życia: dzieciństwo, dorastanie, początek aktywnego życia (trwa, zależnie od indywidualnej drogi życia, do 24–32 lat). Cykl ten ma duży wpływ i silnie kształtuje podmiot, który na tym poziomie istnienia ma słabo uformowaną wolną wolę.

**Cykl drugi**, inaczej „cykl produktywny", dotyczy drugiego okresu życia: przebiegu kariery, życia rodzinnego, różnorodnych transformacji. Trwa aż do 52–60 lat, w zależności od indywidualnej drogi życia. Cykl ten pozwala podmiotowi na spełnianie się w sposób bardziej świadomy i decyduje o jego ewolucji.

**Cykl trzeci**, inaczej „cykl żniwny", kładzie akcent na trzeci okres życia: dla niektórych przełomowy, jednym przynoszący nowy styl życia, innym przygotowania do emerytury. Jest to cykl zwieńczający, kończący, a zarazem tworzący nowe możliwości dla podmiotu, który coraz lepiej zna samego siebie.

Po przeanalizowaniu związku między cyklem a drogą życia przechodzimy do tabeli zgodności liczb cyklicznych (III, rozdział Droga życia). Należy sprawdzić, czy cykl życia odpowiada brakującej liczbie, czy nie. (Tabela składników, rozdział Osobowość).

I tak pozostaje nam prześledzić essentia cykl–droga życia, która oddaje charakter analizowanego okresu. Essentia jest sumą dwóch uproszczonych liczb, reprezentujących cykl i drogę życia. Upraszczamy w przedziale od 1 do 22.

Dla Margaret Robinson otrzymujemy następujące elementy:

| **Droga życiowa 6** | | |
|---|---|---|
| **Cykl pierwszy: 7**<br>Neutralny<br>z drogą życia 6<br>Essentia<br>7 + 6 = 13<br>0 do 31 lat<br>1967–1998 | **Cykl drugi: 3**<br>Zgodny<br>z drogą życia 6<br>Essentia<br>3 + 6 = 9<br>31 do 58 lat<br>1998–2025 | **Cykl trzeci: 5**<br>Niezgodny<br>z drogą życia 6<br>Essentia<br>5 + 6 = 11<br>po 58 latach<br>po 2025 r. |

### 4) CZTERY PUNKTY ZWROTNE NA DRODZE ŻYCIA

Istnieją cztery punkty zwrotne lub apogea na drodze życia: przedstawiają one cztery kluczowe fazy istnienia, które musimy zrealizować dla naszego rozwoju i równowagi; oznacza to pełną realizację cech liczb symbolizujących owe punkty zwrotne, wbrew wszelkim możliwym przeszkodom. Przeszkody te mogą wynikać z naszych wewnętrznych blokad, zakorzenionych poglądów, etycznych problemów wymagających uregulowania. Owe cztery punkty zwrotne wyliczone są na podstawie trzech cykli życiowych i kolejno uproszczone w przedziale od 1 do 9.

Pierwszy punkt zwrotny: cykl pierwszy + cykl drugi
Drugi punkt zwrotny: cykl drugi + cykl trzeci
Trzeci punkt zwrotny: pierwszy punkt zwrotny + drugi punkt zwrotny
Czwarty punkt zwrotny: cykl pierwszy + cykl trzeci

I tak, dla Margaret Robinson otrzymujemy (wiedząc, że pierwszy cykl to **7**, drugi to **3** i trzeci to **5**):
**Pierwszy punkt zwrotny: 7 + 3 = 10 = 1**
**Drugi punkt zwrotny: 3 + 5 = 8**
**Trzeci punkt zwrotny: 1 + 8 = 9**
**Czwarty punkt zwrotny: 7 + 5 = 12 = 3**

Aby określić długość każdego punktu zwrotnego, należy skorzystać z poniższej tabeli.

**Tabela długości punktów zwrotnych według drogi życia**

| Droga życia | Koniec pierwszego i początek drugiego punktu zwrotnego | Koniec drugiego i początek trzeciego punktu zwrotnego | Koniec trzeciego i początek czwartego punktu zwrotnego |
|---|---|---|---|
| **1** | 35 lat | 44 lata | 53 lata |
| **2 (11)** | 34 lata | 43 lata | 52 lata |
| **3** | 33 lata | 42 lata | 51 lat |
| **4 (22)** | 32 lata | 41 lat | 50 lat |
| **5** | 31 lat | 40 lat | 49 lat |
| **6** | 30 lat | 39 lat | 48 lat |
| **7** | 29 lat | 38 lat | 47 lat |
| **8** | 28 lat | 37 lat | 46 lat |
| **9** | 27 lat | 36 lat | 45 lat |

Następnie analizujemy związek między punktem zwrotnym a drogą życia (tabela zgodności liczb cyklicznych, III, 7 z rozdziału Droga życia). Należy sprawdzić, czy punkt zwrotny odpowiada brakującej liczbie, czy nie. Następnie prześledzimy essentia punkt zwrotny + cykl + droga życia, która oddaje charakter analizowanego okresu. Essentia jest zsumowaniem trzech uproszczonych liczb reprezentujących punkt zwrotny, cykl i drogę życia. Uproszczenia dokonujemy w przedziale od 1 do 22.

Dla Margaret otrzymujemy:

| **Droga życia 6** | | | |
|---|---|---|---|
| **Pierwszy punkt zwrotny** | **Drugi punkt zwrotny** | **Trzeci punkt zwrotny** | **Czwarty punkt zwrotny** |
| 1 | 8 | 9 | 3 (karma) |
| 0 do 30 lat | 30 do 39 lat | 39 do 48 lat | Po 48 latach |
| 1967–1997 niezgodny z drogą życia 6 | 1997–2006 zgodny i niezgodny z drogą życia 6 | 2006–2015 zgodny z drogą życia 6 | Po 2015 zgodny z drogą życia 6 |
| essentia: 1 + 7 + 6 = 14 | essentia: 8 + 3 + 6 = 17 | essentia: 9 + 3 + 6 = 18 | essentia: 3 + 3 + 6 = 12 (do 2025) 3 + 5 + 6 =14 (po 2025) |

### 5) TRZY WYZWANIA NA DRODZE ŻYCIA

Droga życia napotyka **trzy wyzwania**, którym trzeba stawić czoło. Najważniejsze jest **trzecie wyzwanie**, zwane „głównym”, dominujące nad całą drogą życiową.

**Pierwsze wyzwanie**, zwane „mniejszym”, wpływa na pierwszą część życia do około 40–45 roku. **Drugie wyzwanie**, również „mniejsze”, dotyczy drugiej części życia.

Aby odnaleźć wyzwania, należy wrócić do cykli drogi życia. Działamy przez odejmowanie:

- pierwsze mniejsze wyzwanie: odejmowanie pierwszego od drugiego cyklu lub odwrotnie,
- drugie mniejsze wyzwanie: odejmowanie drugiego od trzeciego cyklu lub odwrotnie,
- trzecie główne wyzwanie: odejmowanie pierwszego od trzeciego wyzwania.

Zdarza się, że wynik odejmowania jest zerowy. Taki przypadek oznacza, że nie istnieje jedno konkretne wyzwanie.

Może się również zdarzyć, że wyzwanie główne to 0; oznacza to, że mniejsze wyzwania są identyczne. Należy w takim wypadku interpretować liczbę reprezentującą mniejsze wyzwania, zwracając uwagę na fakt, że ich wpływ jest o wiele mniejszy.

Przejdźmy do przykładu Margaret Robinson:

- pierwsze mniejsze wyzwanie: **cykl 7 – cykl 3 = wyzwanie 4**
- drugie mniejsze wyzwanie: **cykl 5 – cykl 3 = wyzwanie 2**
- trzecie główne wyzwanie: **wyzwanie 4 – wyzwanie 2 = wyzwanie główne 2.**

Analizujemy związek między tym wyzwaniem a drogą życia, aby zrozumieć typ wyzwania, jakiego możemy się spodziewać.

Jeśli wyzwanie, szczególnie główne, odpowiada brakującej liczbie, ostrzeżenie prezentowane przez nie jest bardzo silne. Należy więc poświęcić mu większą uwagę.

Jeśli główne wyzwanie odpowiada drodze życia, cyklowi lub punktowi zwrotnemu, jego intensywność w okresie przejścia cyklicznego jest zwiększona. Gdy jest to droga życia, wyzwanie będzie obecne przez całe życie, jeśli nie zostanie w tym czasie pokonane.

Z reguły główne wyzwanie odpowiada słabemu zdrowiu.

## II. PODSUMOWANIE LICZB MARGARET ROBINSON

Podsumowanie to pozwala uporządkować cykle i punkty zwrotne tak, aby móc dobrze odczytać ewolucję drogi życia, odcinek po odcinku, z góry do dołu. Zaczynamy od drogi życia, opisujemy cykl, współdziałanie cyklu i drogi życia, essentia, następnie przechodzimy do punktu zwrotnego, a dalej do współdziałania punktu zwrotnego i drogi życia oraz essentia punkt zwrotny cykl–droga życia.

Temat drogi życia Margaret Robinson zostanie rozwinięty w rozdziale „Interpretacja rozdziału Drogi życia".

M A R G A R E T (Liczba aktywna)
4 1 9 7 1 9 5 2 = 38 = 11 = **2**
R O B I N S O N (Liczba dziedziczna)
9 6 2 9 5 1 6 5 = 43 = **7**

Liczba wyrazu = 38 + 43 = 81 = **9**

**= 7** **= 21 = 3**
1 1 5 6 9 6 = 7+ 21 = 28 = 10 = **1**
M A R G A R E T R O B I N S O N (Liczba duszy)
4 9 7 9 2 9 2 5 1 5 = 31 + 22 = 53 = **8**
**= 31 = 4** **= 22 = 4** (Liczba realizacji zewnętrznej)

| Tabela składników | | | | | | Dzień urodzenia | Liczba rozwoju |
|---|---|---|---|---|---|---|---|
| 1 | 2 | 3 | 3 | 2 | 0 | | 1 |
| 4 | 5 | 6 | 1 | 3 | 2 | 12 | (19 = |
| 7 | 8 | 9 | 1 | 0 | 4 | | 1 + 9 = 10) |

**DŻ 6** (droga życia)

DŻ 6

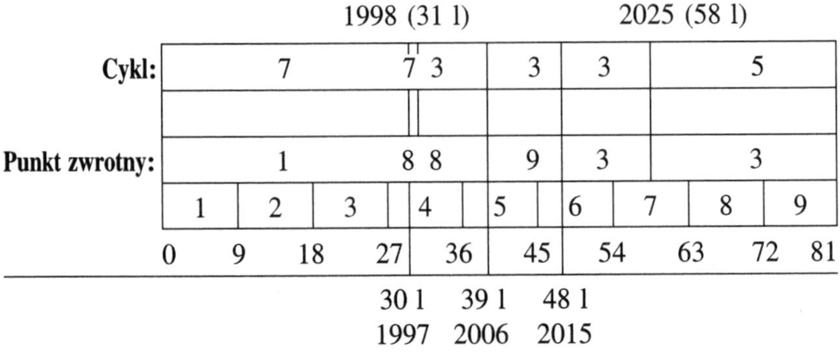

1998 (31 l) 2025 (58 l)

| | | | | | | | | | |
|---|---|---|---|---|---|---|---|---|---|
| **Cykl:** | 7 | | | 7 3 | | 3 | 3 | | 5 |
| | | | | | | | | | |
| **Punkt zwrotny:** | 1 | | | 8 8 | | 9 | 3 | | 3 |
| | 1 | 2 | 3 | 4 | 5 | 6 | 7 | 8 | 9 |
| | 0 | 9 | 18 | 27 | 36 | 45 | 54 | 63 | 72 81 |

30 l 39 l 48 l
1997 2006 2015

| **Punkty zwrotne** | **Wyzwania** |
|---|---|
| 7 – 3 – 5 | 7 – 3 – 5 |
| 1 8 | 4 2 |
| 9 | 2 |
| 3 | |

# III. TABELE INTERPRETACJI

## 1) DROGA ŻYCIA

**1.** *Realizować się dzięki sobie samemu*
- Niezależność w rozwoju.
- Wolność w działaniu.
- Kreatywność i umiejętność dowodzenia lub tworzenia.
- Oryginalna ekspresja, nowatorstwo.
- Nieoczekiwane zwroty, ale dobra adaptacja.
- *Ryzyko egocentryzmu, dominacji.*
- *Izolacja i blokady w sferze uczuciowej.*

**2.** *Realizować się dzięki rywalizacji*
- (Jeśli 2 pochodzi od 11, patrz 11).
- Życzliwość dla drugiego człowieka, wrażliwość i cierpliwość.
- Satysfakcjonujące życie uczuciowe i w związku, zalety przyjaźni.
- Wszechstronny rozwój, wymagający adaptacji i wytrwałości.
- Sposobności przeplatane z długim oczekiwaniem.
- *Zależność.*
- *Niepewność, dwoistość, duża nerwowość.*

**3.** *Ekspresja i komunikacja*
- Otwartość umysłu, komunikatywność, mobilność.
- Ewolucja wspomagana przez kreatywność i wyobraźnię, a także przez komunikatywność.
- Spełnienie w dwóch lub trzech dziedzinach.
- Zamiłowanie do sztuki lub działalności związanej z pięknem.
- *Niecierpliwość i ryzyko rozkojarzenia, marnotrawstwa.*
- *Lekkomyślność, czasami zbyt stresujące życie.*

**4.** *Spełnienie w pracy*
- (Jeśli 4 pochodzi od 22, patrz 22).
- Zdolność do wysiłku, wytrwałość, regularność.
- Raczej powolny, ale solidny i bezpieczny rozwój.
- Niewiele pomocy z zewnątrz, czas jednak zrekompensuje wysiłek i cierpienie.
- Dążenie do równowagi w każdej dziedzinie, także w rodzinie.
- *Ryzyko zbyt ograniczonych poglądów, zbyt zawzięty charakter.*
- *Skrępowanie i czasem zaniedbania, co może mieć poważne konsekwencje.*

**5.** *Spełnienie dzięki przyjemności nauki i odkrywania*
- Wyczucie przestrzeni, niezależność, łatwość adaptacji.
- Zróżnicowane zainteresowania.
- Ciekawość świata i podróże, nauka.
- Rozwój dzięki zmianom i nowościom.
- Sukces i rozkwit, jeśli 5 jest spełnione i zachowana niezależność.
- *Skłonność do niestałości, ryzyko nadmiernej impulsywności.*
- *Należy unikać egzaltacji i niedojrzałych zachowań.*

**6.** *Spełnienie dzięki równowadze i poczuciu bezpieczeństwa*
- Harmonia, poczucie tożsamości, rodzina, miłość i uczynność.
- Odpowiedzialność i zobowiązania.
- Rozwój dzięki równowadze uczuciowej.
- Ważne decyzje i odpowiedzialność w karierze.
- Wyczucie w interesach, zamiłowanie do życia domowego, dekoracji, estetycznych i artystycznych dziedzin.
- *Nadmierny idealizm lub perfekcjonizm, brak elastyczności i pełni porozumienia.*
- *Pochopne sądy, zaślepienie, upór.*

**7.** *Spełnienie dzięki rzetelności i prawdzie*
- Zdolność do refleksji, analizy, życzliwość dla drugiego człowieka.
- Rozwój dzięki doświadczeniom i pracy nad sobą.
- Cierpliwe oczekiwanie sposobnych sytuacji, które zmieniają życie.
- Waga przyjaźni, związków i szczęścia.
- Czasem samotność, poszukiwanie, uduchowienie, podróże.
- *Rozczarowania i zawody uczuciowe, złe relacje z otoczeniem.*
- *Brak realizmu, przenikliwości, pesymizm, rozkojarzenie.*

**8.** *Praktyczne spełnienie i realizacja ambicji*

- Poczucie rzeczywistości, odwaga, waleczność, materialne ziszczenie.
- Trafne sądy i szacunek dla drugiego człowieka.
- Rozwój skokowy, z okresami walki, sukcesu, a czasem porażki, która zmusza do zupełnie nowych działań.
- Ułatwienia w karierze, w każdej dziedzinie, oraz równowaga rodzinna, jeśli zachowany jest szacunek dla tradycyjnych wartości.
- *Skłonność do dominacji, a nawet arogancji lub nietolerancji.*
- *Blokady lub porażki z powodu błędnych osądów lub ekstremalnych i nieskoordynowanych zachowań.*

**9.** *Spełnienie dzięki szerokim i ambitnym perspektywom, zainteresowaniu drugim człowiekiem*

- Otwartość na wiedzę, społeczeństwo, świat.
- Należy pogodzić idealistyczne poglądy i uczuciowe potrzeby z ziemską rzeczywistością.
- Rozwój dzięki spotkaniom, wymianom poglądów, szeroką komunikacją, wzbogaconą o altruizm.
- Okoliczności sprzyjające nauce i dydaktyce.
- Głębokie życie uczuciowe i czas sprzyjają stabilizacji.
- Czasami podróże, życie międzynarodowe, pobyt za granicą.
- *Skłonność do złudzeń, błędów w ocenie.*
- *Nieopanowana uczuciowość, skrajne zachowania emocjonalne, brak szacunku dla drugiego człowieka.*

## 2) PODLICZBY OD 10 DO 22

**10.** *Każda 1 pochodzi automatycznie od 10*

**11.** *Dążenie do ideału lub osiągnięcia własnych celów życiowych*

- Ambitne cele i chęć tworzenia na wysokim poziomie.
- Rozwój dzięki samodzielnej walce, ale i nieoczekiwanej pomocy otoczenia.
- Owocny rytm życiowy, czasem nierówny i stresujący.
- Życie uczuciowe i przyjaźń, ważne dla równowagi.
- *Skłonność do niecierpliwości, dominacji, bezkompromisowości.*
- *Nerwowość, niepokój.*

**12.** *Opanowanie emocji*
- Ostrożne zarządzanie dobrami materialnymi i finansami.
- Bystrość, zamiłowanie do nauki i kontaktów z otoczeniem lub publicznością.
- *Kruchość życia uczuciowego.*
- *Skłonność do ulegania ograniczeniom lub normom narzuconym przez otoczenie.*

**13.** *Czasem radykalne zmiany, zdolność do adaptacji*
- Dobre postrzeganie otoczenia, należy jednak pracować nad ekspresją.

**14.** *Doskonała energia i zdolność regeneracji*
- *Ryzyko niestałości w działaniu.*
- *Należy unikać ekstremalnych, niekontrolowanych porywów, w szczególności w sferze uczuciowej.*

**15.** *Intensywna działalność społeczna z dobrymi wynikami*
- *Należy w pełni wykorzystywać energię, jej nadmiar jest destrukcyjny w skutkach.*

**16.** *Inteligencja, zdolność do przemyśleń, duża energia wewnętrzna*
- *Skomplikowane życie wewnętrzne spowodowane brakami z dzieciństwa (np. brakiem czułości).*
- *W przypadku pychy lub egoizmu istnieje ryzyko dotkliwych porażek.*

**17.** *Droga życiowa pełna szczęścia, wynagradzająca wysiłek i kreatywne działania*
- Częste niespodziewane wsparcie i pomoc przyjaciół i bliskich.
- Należy trafnie oceniać i być wytrwałym.

**18.** *Bogata wyobraźnia, kreatywność*
- Komunikatywność, zdolności pedagogiczne.
- *Trudności spowodowane błędnymi osądami, zbyt idealistycznymi poglądami.*
- *Rozczarowania relacjami z otoczeniem.*

**19.** *Sukces w realizacji ambitnych planów*
- Wysoka ocena i jakość pracy.

– *Należy czuwać nad negatywnymi skutkami dumy lub zbyt dominującej osobowości.*

**20.** *Należy prześledzić drogę życia 2 (prawdziwa 2 automatycznie pochodzi od 20, jeśli nie, jest to 11)*

**21.** *Idealna 3 dla ekspansji i dobrej komunikacji w różnych dziedzinach*
– Dużo szczęścia i solidne oparcie w otoczeniu.
– *Należy mieć się na baczności przed łatwowiernością i problemami z zarządzaniem finansami.*

**22.** *Należy realizować swoje ambicje dla samego siebie i dla ogółu*
– Cierpliwość, wytrzymałość, determinacja, otwartość na drugiego człowieka.
– Rozwinięta świadomość, pragnienie bycia potrzebnym światu, inwestowania i angażowania się w ambitne projekty.
– Działanie w dużych strukturach, np. związanych z zagranicą.
– *Ryzyko niespójności między myślami a czynami.*
– *Duża nerwowość i napięcie psychiczne.*

## 3) ZALEŻNOŚCI MIĘDZY LICZBAMI OSOBISTYMI

### Tabela zgodności liczb

| | 1 | 2 | 3 | 4 | 5 | 6 | 7 | 8 | 9 |
|---|---|---|---|---|---|---|---|---|---|
| 1 | + | = | + | = | + | = | + | = | + |
| 2 | = | + | + | + | – | + | = | + | = |
| 3 | + | + | + | = | + | + | + | = | + |
| 4 | = | + | = | + | = | + | + | + | – |
| 5 | + | – | + | = | + | – | + | = | + |
| 6 | = | + | + | + | – | + | = | = | + |
| 7 | + | = | + | + | + | = | + | = | = |
| 8 | = | + | = | + | = | = | = | + | = |
| 9 | + | = | + | – | + | + | = | = | + |

### *Droga życia i liczba wyrazu*

Zgodne: podmiot wyraża się w sposób satysfakcjonujący i harmonijny na swojej drodze życiowej.

Niezgodne: podmiot znajduje się często pomiędzy swoją osobowością a drogą życia. Wszystko może się zmienić wraz ze zdobytym doświadczeniem i świadomością wewnętrzną.

Neutralne: niewielka zależność między parametrami. Więcej swobody, aby podmiot mógł wprowadzić więcej harmonii w swoje życie.

### *Droga życia i liczba duszy*

Zgodne: głębokie aspiracje podmiotu mogą zostać zrealizowane na drodze życiowej.

Niezgodne: podmiot ma trudności z konkretyzowaniem pragnień i harmonijnym życiem emocjonalnym.

Neutralne: nie istnieją sprzeczności między głębokimi aspiracjami i drogą życia.

### *Droga życia i liczba realizacji zewnętrznej*

Zgodne: podmiot może szeroko rozwinąć swoje możliwości profesjonalne i praktyczne.

Niezgodne: trudności ze spełnieniem na drodze życia. Dążenie do równowagi. W razie poważnej blokady należy zastanowić się nad preferencjami.

Neutralne: droga życia ułatwia konkretne spełnienie.

### *Droga życia i brakujące liczby*

Jeśli droga życia nie ma odpowiednika wśród brakujących liczb (składniki, badanie osobowości), należy rozważyć światopogląd. Niezależnie od naszej wiary czy niewiary w reinkarnację istnieje odwieczne prawo etyki, które dotyczy nas wszystkich: prawo przyczyny i skutku. Tkwi ono w samym środku karmy.

Myśląc i działając w określony sposób (dobry lub zły), systematycznie ściągamy na siebie konsekwencje, dobre lub złe, naszych myśli i czynów.

Istnieje więc dobra i zła karma. W konsekwencji naszego zachowania i pracy nad sobą, karma może zniknąć; przeznaczenie istnieje tylko wtedy, gdy w nie wierzymy. Należy więc traktować brakujące liczby jako braki wymagające uzupełnienia, lekcje do nauczenia, dziedziny do doskonalenia, aby do swojego życia wprowadzić harmonię.

Droga życia, będąca brakującą liczbą, wskazuje, że sytuacje związane ze słabymi stronami będą pojawiać się na naszej życiowej drodze, często pod różnymi postaciami. Problem ten będzie istniał, dopóki nie zostanie rozwiązany.

1 dotyczy naszego ego. Będziemy źle postrzegani przez otoczenie, pojawiają się problemy z oceną. Osobiste plany napotykać będą przeszkody, wystąpią przejściowe okresy uczuciowej izolacji.

2 dotyczy bliskich stosunków: problemy z otoczeniem, związkiem, ryzyko zdrady lub rozczarowania.

Należy wrócić do interpretacji składników w II, 5 z rozdziału Osobowość.

## 4) CYKLE

### *Cykl 1: najlepiej polegać na sobie i rozwijać swoje zdolności*

*Formujący*

- Autonomia
- Ugruntowana osobowość, kreatywność
- *Niewielka pomoc z zewnątrz, izolacja lub surowe wychowanie.*

*Produktywny*

- Dobre warunki dla osobistych projektów
- Postęp
- Należy polegać na sobie i stawić czoło ewentualnym przeszkodom
- *Jeśli zalety 1 nie są wyrażone, blokady i osamotnienie.*

*Żniwny*

- Aktywne życie, nieustanna ewolucja
- Swoboda w działaniu, ewentualnie kreatywna energia
- *Dużo nadmiernego wysiłku, samotność lub zamknięcie się w sobie.*

### *Cykl 2: żyć i rozwijać się dzięki innym ludziom*

*Formujący*

- Duża wrażliwość i pewna nerwowość
- Poszukiwanie przyjaźni i pragnienie stworzenia związku

- Brak posłuszeństwa i cierpliwości
- *Ryzyko przytłoczenia, napięć emocjonalnych, trudności z ukierunkowaniem.*

*Produktywny*
- Sprzyjające warunki do pracy w grupie, w zespole
- Rozwój, wzloty i upadki, przełomowe momenty do rozegrania
- Przywiązanie do partnerstwa, życia rodzinnego, przyjaciół i związków
- *Trudności związane z życiem w związku, w parze. Niezdecydowanie, dwoistość.*

*Żniwny*
- Raczej bezpieczne, spokojne życie, dużo miejsca dla rozrywki
- Kontakty, przyjaźń, życie towarzyskie, czasem nowy związek
- *Niestabilne życie, uzależnienie od drugiego człowieka, napięcie nerwowe.*

***Cykl 3: możliwość ekspresji i otwarcia się na świat***

*Formujący*
- Zdolności komunikacyjne, kreatywność, dynamizm, życie towarzyskie
- Przyjaźnie, odpoczynek i rozrywka, pociąg do sztuki, potrzeba szerokich kontaktów
- *Ryzyko rozproszenia działań i energii. Czasem blokada ekspresji.*

*Produktywny*
- Życie towarzyskie i szerokie kontakty
- Uwydatniona kreatywność, ważna rola związków
- Jeśli stabilność jest zachowana, bogate życie uczuciowe
- *Trudności w życiu uczuciowym, niestałość, marnotrawstwo materialne i finansowe, chorobliwa nadwrażliwość.*

*Żniwny*
- Zapewnione spełnienie, bogactwo zainteresowań i kontaktów
- Należy rozwijać talenty i realizować pragnienia; dojrzewająca kreatywność
- *Ryzyko wybuchów, przesady na każdej płaszczyźnie.*

### *Cykl 4: twórczość, dobre warunki dla stabilnego rozwoju*

*Formujący*
- Pracowity okres, uciążliwa dyscyplina, cierpliwość
- Obojętność otoczenia
- Raczej powolny, ale stały rozwój
- *Ryzyko zobojętnienia, zamknięcia się w sobie.*

*Produktywny*
- Należy wykorzystać sprzyjające momenty i pomysły w praktyce
- Konstruktywna ewolucja, możliwe opóźnienia i nieszczęśliwe wybory
- Rozwaga i ostrożność w kwestiach finansowych
- *Ryzyko monotonii, rutyny, zamknięcie się w sobie, pasywność.*

*Żniwny*
- Aktywne życie, z wyboru lub z konieczności
- Należy czuwać nad zarządzaniem, księgowością i równowagą w interesach
- *Nieustanna mobilizacja.*

### *Cykl 5: wolność, przestrzeń, zmiany*

*Formujący*
- Okres swobody i niezależności
- Podróże, otwartość, mobilność
- *Energia i nerwowość wymagające opanowania, nauka, nieregularność*
- *Niedbalstwo, które opóźnia rozwój.*

*Produktywny*
- Sytuacja niezależna, otwarta na zmiany
- Ciekawe życie, podróże, nowe odkrycia
- Konstruktywny rozwój
- *Ryzyko niestabilności, impulsywność.*

*Żniwny*
- Raczej przyjemny okres, nowy styl życia, większa swoboda
- Podróże, nowe doświadczenia, świeży umysł
- *Możliwe kłopoty spowodowane stresem, nerwowością. Poczucie niemożności, brak wyraźnego celu.*

### *Cykl 6: odpowiedzialność, przysługa, miłość*

*Formujący*

- Rola rodziny, uczynność wpojona od dziecka, surowe wychowanie, przywiązanie do korzeni
- Poszukiwanie równowagi uczuciowej
- *Trudności z podejmowaniem niektórych wyborów, brak klarownego punktu odniesienia i solidnych podstaw.*

*Produktywny*

- Okres sprzyjający domowemu ognisku, rodzinie, związkowi
- Obowiązki zawodowe, zarządzanie ludźmi, awans
- Bezpieczeństwo finansowe, komfortowa sytuacja materialna
- *Zbyt dużo obowiązków, kłopoty uczuciowe, błędne ukierunkowanie lub wybory w sprawach kontaktów z innymi.*

*Żniwny*

- Równowaga wysiłków i obowiązków, rozkwit, bezpieczeństwo
- Równowaga uczuciowa, dobre stosunki rodzinne, stabilność emocjonalna
- *Czasami nadmierne obciążenia rodzinne, skłonność do zbyt wielu ustępstw w imię miłości*
- *Strach przed porzuceniem.*

### *Cykl 7: refleksja, podsumowanie, odkrycie nowych możliwości*

*Formujący*

- Uczucie samotności, czasem poczucie marginalności, wrodzony zmysł analityczny
- Zdolności naukowe, duża wrażliwość, zamiłowanie do szerokich przestrzeni, ucieczki
- Aby dobrze się ukształtować i spełnić, potrzebny jest silny charakter
- Pewna wątpliwość, pesymizm, brak otwartości i komunikatywności.

*Produktywny*

- Spotkania i kontakty sprzyjające rozwojowi, czasem niespodzianki
- Korzystna niezależna działalność, specjalizacja

- Cykl wzbogacający wiedzę, badania, podróże
- *Kłopoty w związku lub przyjaźni i czasem w sprawach finansowych, jeśli zostało podjęte zbyt duże ryzyko.*

*Żniwny*

- Spokojna aura, nauka dla przyjemności, podróże, rejsy morskie
- Okres sprzyjający pisaniu, medytacji, niezależności
- Bogate i prawdziwe przyjaźnie
- *Czasem dokucza samotność, brak wsparcia, celu.*

### *Cykl 8: równowaga we wszystkim*

*Formujący*

- Poznanie wartości pracy, pieniądza i praktycznego życia
- Surowe otoczenie, pozostawiające mało miejsca dla fantazji
- Pewność siebie, ale wrażliwe serce
- *Energia trudna do opanowania, szorstkie lub aroganckie reakcje.*

*Produktywny*

- Konieczny jest duży wysiłek, aby się realizować
- Dominują kariera i praktyczne spełnienie
- Poszukiwanie równowagi i bezpieczeństwa, również w rodzinie
- *Ryzyko błędów lub porażek spowodowanych złą oceną sytuacji.*

*Żniwny*

- Jeśli jakieś plany nie zostały zrealizowane, to jest to odpowiedni moment
- Aktywne życie, dobre zdrowie
- Zamiłowanie do interesów i podróży
- *Czasami spory, powodujące problemy materialne.*

### *Cykl 9: otworzyć się na świat, być potrzebnym*

*Formujący*

- Emocjonalność, nerwowość
- Konieczne dostosowanie się do otoczenia
- Potrzeba ucieczki, odkrycie powołania, podróże
- *Trudności z zaangażowaniem się, napięcia emocjonalne i uczuciowe.*

*Produktywny*

- Odkrycie nowych horyzontów, doskonalenie się
- Sprawy międzynarodowe, zwiększenie liczby podróży, intensywniejsze życie publiczne
- Silne osobiste zaangażowanie
- *Z powodu braku czasu lub zbyt płomiennych związków kruche życie uczuciowe. Kłopoty finansowe związane z brakiem poczucia rzeczywistości.*

*Żniwny*

- Nowy styl życia, może związany z przeprowadzką, nowe potrzeby
- Podróż, ucieczka, chęć zaangażowania się w sprawy drugiego człowieka, poświęcenia szczytnym celom, uczestnictwa w działalności społecznej
- *Ryzyko zmęczenia, złego zarządzania finansami.*

## 5) PUNKTY ZWROTNE

### PUNKT ZWROTNY 1: INDYWIDUALNOŚĆ

#### *W połączeniu z drogą życia 1*

Ryzyko niepokoju lub nieskoordynowanych działań. Zmagania, przeszkody do pokonania.

Pierwszy punkt zwrotny: napięcia w rodzinie. Dziecko uczy się, dojrzewa i bywa uparte. Jest coraz bardziej niezależne i może zaangażować się w niebezpieczne działanie.

Drugi i trzeci punkt zwrotny: początek nowej drogi wiąże się z oparciem na samym sobie. Nieregularny rozwój, kryzysy, wzburzenia. Dzięki opanowaniu sytuacji można odnieść sukces.

Czwarty punkt zwrotny: aktywność, czasem z konieczności. Rozwój raczej nierówny, mała pomoc z zewnątrz. Należy unikać egoizmu, uporu lub izolowania się.

#### *W połączeniu z drogą życia 2*

Należy znaleźć kompromis pomiędzy osobistym działaniem, własną inicjatywą a współpracą z drugim człowiekiem. Kształtować osobowość, zachowując wrażliwość i współpracując z otoczeniem. Łatwość nawiązywania kontaktów i prowadzenia negocjacji. Dynamizm.

Pierwszy punkt zwrotny: podmiotowi trudno przychodzi przeprowadzanie swojej woli, życie w zgodzie z samym sobą, gdyż otoczenie przytłacza go. Duża wrażliwość, lecz strach przed dokonywaniem ważnych wyborów i ryzyko niepewnych przedsięwzięć.

Drugi i trzeci punkt zwrotny: przyjemne relacje w związku, co sprzyja życiu towarzyskiemu i dobrym kontaktom zawodowym. Przywiązywanie wagi do życia rodzinnego lub uczuciowego. Sukces w nowej pracy lub nowym interesie.

Czwarty punkt zwrotny: możliwość nowych korzystnych perspektyw. Nie należy rezygnować z najważniejszych priorytetów. Działalność w grupie sprzyja umocnieniu osobowości. Niezbędne kontakty.

### *W połączeniu z drogą życia 3*

Ugruntowanie osobowości i sukces w komunikacji. Kreatywność, jeśli opanuje się roztrzepanie i skłonność do wybierania złej drogi.

Pierwszy punkt zwrotny: otoczenie sprzyja rozwojowi zdolności. Łatwość wyrażania: pedagogika, nauczanie, pisanie, negocjowanie. Skuteczność w działaniu i sukces, lecz należy unikać rozkojarzenia.

Drugi i trzeci punkt zwrotny: kreatywność, pomysłowość, oryginalne koncepcje. Zawodowy sukces, szczególnie w dziedzinach związanych z przekazem. Dobry wizerunek, ogólne uznanie. Należy unikać przesady.

Czwarty punkt zwrotny: nowe plany, styl życia sprzyjający tworzeniu lub wyrażaniu tego, co wcześniej było kłopotliwe. Czasem duża aktywność i sukces. Przyjemne i w pełni opanowane życie.

### *W połączeniu z drogą życia 4*

Kreatywność i własne inicjatywy ograniczone przez przeszkody i limity, co opóźnia lub blokuje spełnienia. Dzięki cierpliwości i wytrwałości możliwe opanowanie sytuacji.

Pierwszy punkt zwrotny: wytrwała praca, tworząca pewne punkty odniesienia i pozwalająca podmiotowi zbudować własną osobowość, mimo porażek i zawodów. Witalność, lecz ograniczenia w uczuciach lub w przyjaźni.

Drugi i trzeci punkt zwrotny: ciężka i nieustanna praca, powodująca przemęczenie i problemy zdrowotne. Nie należy się przeciwstawiać i bardzo uważać, angażując się w nowe przedsięwzięcia. Życie uczuciowe ograniczone.

Czwarty punkt zwrotny: równowaga, wygoda, stabilność. Duży wysiłek włożony w działanie. Skłonność do nadgorliwości, być może aby wypełnić samotność, nudę lub wzmocnić sytuację materialną.

### *W połączeniu z drogą życia 5*

Kreatywność i własne inicjatywy są bardzo ważne. Spełnienie może zaistnieć na bardzo różnych płaszczyznach, pod warunkiem że zachowana zostanie niezależność oraz możliwość zmiany, między innymi dzięki podróżom.

Pierwszy punkt zwrotny: zdolności intelektualne, zamiłowanie do nauki, lecz brak koncentracji i dyscypliny. Potrzeba przestrzeni i wolności, która może być zaspokojona dzięki podróżom. Zamiłowanie do gier.

Drugi i trzeci punkt zwrotny: należy dobrze ukierunkować swoją energię, w przeciwnym wypadku istnieje ryzyko niestałości. Okres poszukiwania nowości, rozwoju, z zachowaniem pewnej niezależności.

Czwarty punkt zwrotny: niezależność może czasem towarzyszyć celibatowi lub izolowaniu się. Zwykle świeżość umysłu, potrzeba ruchu. W tym okresie życia należy unikać niestałości, droga rozwoju jest korzystna.

### *W połączeniu z drogą życia 6*

Wielość obowiązków, konieczność postawienia na swoim w kłopotliwych sytuacjach. Należy dbać o zachowanie równowagi, tak w życiu zawodowym, jak i prywatnym.

Pierwszy punkt zwrotny: edukacja emocjonalna może być surowa i prowadzić do trudności w wyrażaniu własnych opinii. Potrzeba mocnego ukształtowania się, pomimo napiętych sytuacji.

Drugi i trzeci punkt zwrotny: obowiązki w życiu zawodowym i prywatnym. Należy jasno określać się i podejmować decyzje, co nie zawsze jest łatwe, biorąc pod uwagę zewnętrzne okoliczności i wewnętrzne wątpliwości. Czasem życie daje się we znaki, choć jest raczej bezpieczne.

Czwarty punkt zwrotny: obowiązki, odpowiedzialność; możliwość sprawowania władzy i podjęcia nowych obowiązków. Należy odnaleźć równowagę pomiędzy życiem społecznym, rodzinnym i prywatnym.

### *W połączeniu z drogą życia 7*

Siłą rzeczy powrót do refleksji nad samym sobą. Przed dokonaniem nowych wyborów należy dobrze wszystko przeanalizować, bez pośpiechu i nacisku. Sprzyjająca sytuacja, spotkanie, propozycja, nieoczekiwany związek, który zmieni dalszy bieg życia.

Pierwszy punkt zwrotny: trudności z wyrażaniem własnych uczuć i emocji. Zdolności do nauki, analityczny umysł, dociekliwość. Brak wsparcia, lecz wewnętrzna siła pozwala iść do przodu i kształtować się, czasem w oryginalny sposób.

Drugi i trzeci punkt zwrotny: podmiot, czasem wbrew sobie, narażony jest na niezwykłe, ale wzbogacające doświadczenia. Niektórzy żyją samotnie, inni podróżują lub spełniają się w rzadkich dziedzinach, w niezależny sposób. Sukces, chyba że podmiot zwątpi w siebie.

Czwarty punkt zwrotny: idealne, spokojne życie poświęcone nauce, zainteresowaniom; zdrowy tryb życia, blisko natury, morza. Rozmyślanie, pisanie i medytacja. Albo samotne życie, brak zainteresowania drugą osobą i stagnacja.

### *W połączeniu z drogą życia 8*

Duża energia i zwykle ambitne cele. Należy wykazać się trafną oceną i kształtować się, nie przytłaczając innych.

Pierwszy punkt zwrotny: przede wszystkim dobre relacje z otoczeniem, od małego ukształtowana przedsiębiorczość. Podmiot potrzebuje pokazać, co potrafi, skłonności przywódcze. Duża energia i wpływ na drugiego człowieka.

Drugi i trzeci punkt zwrotny: realizacja ambitnych celów i rozwój kariery. Skłonność do dominacji w sposób autorytatywny, czasem nawet z arogancją. Sukces, mimo nieustających trudności.

Czwarty punkt zwrotny: znaczące życie aktywne. Odpowiedzialność i wyczucie w interesach. Konieczność odnalezienia równowagi pomiędzy osobistymi ambicjami, życiem rodzinnym i odpoczynkiem. W przeciwnym wypadku nadmiar wyraźnie zaszkodzi zdrowiu.

### *W połączeniu z drogą życia 9*

Ego a uniwersum: ważne, aby kształtować się i spełniać w sposób szlachetny i nieskrępowany, obierać cele, które zainteresują społeczeństwo, zagranicę, a nawet świat. Sukcesowi będą towarzyszyć fazy niepewności, trudnych dylematów do rozwiązania.

Pierwszy punkt zwrotny: wymagające otoczenie, które przytłacza dziecko, mające trudności z wyrażaniem i konkretyzowaniem własnych potrzeb. Chęć ucieczki, podróżowania, kontaktu ze światem.

Drugi i trzeci punkt zwrotny: działalność związana ze społeczeństwem, światem, przy zachowaniu własnej niezależności. Pozytywny rozwój, przynoszący uznanie i szacunek. Życie uczuciowe wymaga dużej uwagi i rozsądku.

Czwarty punkt zwrotny: możliwość zaangażowania się w nowe przedsięwzięcie o altruistycznym celu, lub w kreatywną i artystyczną dziedzinę. Czasem późny sukces, lecz duża satysfakcja. Możliwe trudne do wykonania obowiązki w życiu prywatnym lub rodzinnym.

## PUNKT ZWROTNY 2: WSPÓŁPRACA, ZWIĄZEK, ŚRODOWISKO

### *W połączeniu z drogą życia 1*

Konieczność dostosowania się do otoczenia, partnera, aby dobrze rozwijać się na swojej drodze życiowej. Jeśli 2 pochodzi od 11, duża niecierpliwość i ryzyko niepokoju, lecz podstawowe znaczenie 2 dominuje.

Pierwszy punkt zwrotny: obojętność otoczenia zmusza do zamknięcia się w sobie, ale rodzina i przyjaciele są pomocni. Poszukiwanie związku.

Drugi i trzeci punkt zwrotny: należy opanować równowagę uczuciową i zdobyć się na wysiłek i współpracę w życiu zawodowym. Skłonność do narzucania własnych pragnień.

Czwarty punkt zwrotny: grupowe projekty, przyjaźń, nowe kontakty, podróże. Bezpieczny okres. Kreatywność może zostać nagrodzona.

### *W połączeniu z drogą życia 2*

Pewna dwoistość w powtórzeniu 2, a co za tym idzie, niejasne sytuacje i niepewność w podejmowaniu decyzji. Cierpliwość, rozwaga i dyplomacja pomogą wybrnąć z sytuacji.

Pierwszy punkt zwrotny: dominujący wpływ matki, i ogólnie kobiet, na całość spełnienia. Podmiot ulega wpływom i jest nadwrażliwy, czasem nieśmiały. Trudności z wyborem własnej drogi; może posiadać predyspozycje artystyczne.

Drugi i trzeci punkt zwrotny: duży urok, który jest doceniany w związkach prywatnych lub profesjonalnych. Tymczasem jego przedsięwzięcia są nietrwałe i niestabilne, co dla owocnego rozwoju wymaga dużo szczęścia w sprawach materialnych i praktycznych.

Czwarty punkt zwrotny: dużo kontaktów, przyjaźni i zajęć środowiskowych. Potrzeba niesienia pomocy lub bycia przydatnym, niektórzy odznaczają się kreatywnym talentem artystycznym, rzemieślniczym.

***W połączeniu z drogą życia 3***

Harmonijne połączenie, dające dużo radości, równowagi w podstawowych sferach życia.

Pierwszy punkt zwrotny: żywy umysł i łatwość nauki. Otoczenie korzystne dla rozwoju. Zróżnicowane i bogate zainteresowania. Silne więzy przyjaźni i miłości.

Drugi i trzeci punkt zwrotny: dobry rozwój zawodowy w dziedzinie komunikacji, dydaktyki lub sztuki. Elokwencja i dar przekonywania (aktor, adwokat). Życie miłosne i rodzinne przyczyniają się do równowagi.

Czwarty punkt zwrotny: harmonijne życie, bezpieczne i spokojne, wiele przyjaźni, kontaktów, planów naukowych, twórczości, działalności społecznej.

***W połączeniu z drogą życia 4***

Należy odnaleźć równowagę przede wszystkim w życiu towarzyskim; życie materialne zdaje się łatwiejsze. Aby uzyskać harmonię w relacjach międzyludzkich, konieczna jest wyrozumiałość i otwartość na drugiego człowieka.

Pierwszy punkt zwrotny: dzieciństwo pełne napięć i zamętu, ryzyko rozczarowań w przyjaźni i miłości. Dzięki sprzyjającym warunkom dobry rozwój zawodowy.

Drugi i trzeci punkt zwrotny: droga obfitująca w upadki i wzloty z powodu licznych wątpliwości i niejasnych, konfliktowych sytuacji. Dzięki zaletom 2 i 4 istnieje możliwość stabilizacji w każdej dziedzinie, gdyż ogólna wibracja jest sprzyjająca.

Czwarty punkt zwrotny: dynamizm i potrzeba aktywności i użyteczności. Dominuje życie uczuciowe; podmiot ma dobre otoczenie, lecz musi panować nad nerwowością.

***W połączeniu z drogą życia 5***

Bardzo konfliktowe połączenie, gdyż zależność 2 przeciwstawna jest niezależności 5. Aby dobrze współpracować, równowaga 2 powinna pozwolić 5 z umiarem rozwinąć się, otworzyć na świat.

Pierwszy punkt zwrotny: poszukiwanie odpoczynku, rozrywki i poszerzenia zainteresowań. Urok, pozytywne otoczenie, lecz aby uniknąć niestabilnego życia, niezbędna jest równowaga w podejmowaniu wyborów.

Drugi i trzeci punkt zwrotny: rozwój w otwartym i wolnym otoczeniu, bogate i zróżnicowane doświadczenia. W sprawach uczuć wystarczy tylko unikać nadmiaru przygód i zachować minimum niezależności.

Czwarty punkt zwrotny: należy unikać przemęczenia nerwowego i stresu, zwłaszcza gdy intensywne życie pełną piersią skłania do przesady.

### *W połączeniu z drogą życia 6*

Harmonijna konfiguracja w sferze uczuciowej i w związkach międzyludzkich. Należy natomiast czuwać nad równowagą w interesach i finansach, korzystając z dobrych rad i własnej przenikliwości.

Pierwszy punkt zwrotny: otoczenie sprzyjające rozwojowi, poczucie bezpieczeństwa. Potrzeba miłości i stworzenia solidnego związku. W życiu zawodowym należy dokonywać wyborów z rozwagą, gdyż istnieje ryzyko popełniania błędów. Możliwe zainteresowanie estetyką i twórczością, a także wszystkim, co ludzkie.

Drugi i trzeci punkt zwrotny: duże znaczenie życia uczuciowego, rodziny. Życie zawodowe będzie satysfakcjonujące, pod warunkiem dobrej znajomości swojej dziedziny i podejmowania trafnych wyborów. Dużo szczęścia.

Czwarty punkt zwrotny: bezpieczny okres, ciepłe i przyjemne życie w związku. Sprzyjające otoczenie w sferze emocjonalnej. Należy unikać egoizmu.

### *W połączeniu z drogą życia 7*

Delikatna konfiguracja: głównie kobiece liczby, połączone na dobre i na złe. Dobrze wykorzystane, połączenie to rozwija dużą wrażliwość i wyczucie artystyczne. Znajomość wszystkiego, co ludzkie; oryginalny rozwój kariery zawodowej. Źle wykorzystane, obfituje w napięcia emocjonalne, niejasne sytuacje, problemy uczuciowe.

Pierwszy punkt zwrotny: łagodny okres, ogromny wpływ kobiet. Rozwój dzięki pracowitości. Szczęście otwiera nowe możliwości, czasem zupełnie nieoczekiwanie.

Drugi i trzeci punkt zwrotny: rozwaga przy planach małżeńskich. Należy patrzeć na życie uczuciowe z dużą przenikliwością, aby uniknąć ewentualnych rozczarowań. Ogólnie owocny rozwój, ale wiele zależy od szczęścia.

Czwarty punkt zwrotny: powrót do podstawowych wartości i odrzucenie pozorów. Należy unikać zbyt rygorystycznej postawy lub zamykania się w sobie. Poza tym spokojny rozwój pełen miłych niespodzianek.

### *W połączeniu z drogą życia 8*

Harmonijne połączenie w każdej dziedzinie: tworzące równowagę, wzbogacenie, rozwój.

Pierwszy punkt zwrotny: bezpieczeństwo zarówno w sprawach uczuciowych, jak i materialnych. Wiele atutów sprzyjających korzystnemu rozwojowi.

Drugi i trzeci punkt zwrotny: ułatwiona równowaga w sferze uczuciowej, również materialnej i finansowej. Rozwój w dobrym kierunku i ukierunkowanie ambicji. Należy jednak dobrze przemyśleć dokonywane wybory lub przedsięwzięcia.

Czwarty punkt zwrotny: bezpieczne i korzystne otoczenie. Okres ten pozwoli na solidną i praktyczną samorealizację. Niektóre ambicje wymagają jeszcze spełnienia. Bogate życie towarzyskie.

### *W połączeniu z drogą życia 9*

Bardzo delikatna konfiguracja w sferze emocjonalnej; istnieje zarówno ryzyko poważnych sporów, trudności w porozumieniu, problemów z równowagą (stres, nerwowość), jak i owocny rozwój w sferze materialnej.

Pierwszy punkt zwrotny: podmiot z dużą wrażliwością i rozsądkiem bada własne otoczenie, nic mu nie umknie. Kłopoty z adaptacją i akceptacją w środowisku. Nieregularny rozwój i trudności z ekspresją.

Drugi i trzeci punkt zwrotny: burzliwe życie uczuciowe. Zdecydowanie brak niuansów i niechęć do poświęceń. Udane życie zawodowe związane z publicznością, dużą zbiorowością, zagranicą.

Czwarty punkt zwrotny: zainteresowania humanistyczne. Wiele rozwiniętych kontaktów i działań społecznych. Bogate doświadczenie życiowe, charyzma.

## PUNKT ZWROTNY 3: KREATYWNOŚĆ, KOMUNIKACJA

### *W połączeniu z drogą życia 1*

Dobra konfiguracja: łatwość wyrażania swojego zdania, realizacja planów. Umiejętność dokonywania transakcji, zręczność i wyczucie w sprawach uczuciowych. Ryzyko nadmiernego rozproszenia sił lub zbytniej powierzchowności.

Pierwszy punkt zwrotny: z reguły udane dzieciństwo, z możliwością wyrażania własnego zdania. Bystrość umysłu, chęć nauki. Kłopoty z koncentracją. Praca związana z komunikacją.

Drugi i trzeci punkt zwrotny: pomyślny rozwój kariery i związku, jeśli tylko nie zmarnuje się szansy przez rozkojarzenie. Kocha życie i jego przyjemności. Sfera uczuciowa bywa bardzo nikła, jeśli podmiot jest egoistą o bardzo silnym charakterze.

Czwarty punkt zwrotny: intensywne doznania, różnorodna działalność. Podróże, gwałtowne zmiany, rozrywki. Należy unikać przesady i nadmiernego przemęczenia.

### *W połączeniu z drogą życia 2*

Harmonijne połączenie: kontakty i sprzyjające sytuacje, kreatywność i wyrażanie własnych opinii i koncepcji.

Pierwszy punkt zwrotny: bardzo korzystny okres, interesująca edukacja oraz predyspozycje artystyczne i kreatywne. Otwartość, która budzi sympatię i ułatwia rozmaite kontakty. Skłonność do pychy, wyróżniania siebie.

Drugi i trzeci punkt zwrotny: możliwość spełnienia się w artystycznej lub kreatywnej dziedzinie. Kocha życie, okoliczności sprzyjają rozwojowi. Umiejętność dostosowania się do otoczenia, życie uczuciowe i związki odgrywają ważną rolę.

Czwarty punkt zwrotny: podmiot jest szczęśliwy; najważniejsze sprawy są bezpieczne. Świeżość umysłu i szerokie kontakty; podróże. Umiejętność pisania, studiowania, tworzenia.

### *W połączeniu z drogą życia 3*

Konfiguracja tak korzystna, jak i kłopotliwa, z powodu ciągłego ruchu i braku uporządkowania. Wielkie możliwości twórcze, pomysłowość i ekspresja.

Pierwszy punkt zwrotny: bystrość, syntetyczny umysł, lecz kłopoty z koncentracją i przebiegiem szkolnej edukacji. Prawdopodobny talent artystyczny i zmysł estetyczny.

Drugi i trzeci punkt zwrotny: jeśli życie zawodowe pozwala na swobodne wyrażanie własnego zdania, będzie ono pomyślnie ewoluować; obecność publiczności działa motywująco. Życie prywatne bywa bardzo chwiejne, między innymi dlatego, że praca pochłania za dużo czasu i energii.

Czwarty punkt zwrotny: wiele różnorodnych kontaktów i zajęć. Ekscytujące życie, pozwalające zachować świeżość umysłu; uwaga na przesadę.

### *W połączeniu z drogą życia 4*

3 pozwala 4 na pewną dozę otwartości, 4 natomiast czuwa nad organizacją i uporządkowaniem 3; wszystko doskonale funkcjonuje, pod warunkiem że 4 nie zdominuje i nie przytłumi wyrazistości 3.

Pierwszy punkt zwrotny: otoczenie sprzyja wykształceniu systemu wartości. Młody człowiek rozwija się w kierunku pożytecznego życia, lecz odnalezienie właściwej drogi oraz samorealizacja wymagają dużo czasu.

Drugi i trzeci punkt zwrotny: nowe środki pozwalają na odkrycie większych możliwości wyrazu i komunikacji. Rozwój może być więc bardziej specyficzny i oryginalny niż przedtem. Czasem wraz z tą konfiguracją zaczyna się zupełnie nowe życie.

Czwarty punkt zwrotny: raczej przyjemny okres; wiele kontaktów, związków i różnorodnych zajęć. Zapał do pracy i komunikowania się przetrwa, mimo upływu czasu.

### *W połączeniu z drogą życia 5*

Bardzo sympatyczna konfiguracja, choć między tymi liczbami istnieje ryzyko niestabilności, rozkojarzenia, niedojrzałości, ruchliwości.

Pierwszy punkt zwrotny: podmiot, już jako młody człowiek, odczuwa silną potrzebę wolności i przestrzeni. Być może posiada zdolności ekspresyjne lub aktorskie. Ambicja i odwaga, duży urok osobisty, co może uprzyjemnić życie uczuciowe.

Drugi i trzeci punkt zwrotny: życie zawodowe przedstawia się raczej dobrze, szczególnie w dziedzinach związanych z przekazem i komunikacją. Podmiot ma skłonność do niesłowności oraz angażowania się w skomplikowane sytuacje – z których jednak zawsze zręcznie wybrnie. Charyzma i siła magnetyczna odgrywają ważną rolę w życiu zawodowym, jeśli jest ono związane z publicznością.

Czwarty punkt zwrotny: korzystny i przyjemny okres, jeśli dobrze uporządkowane są życiowe podstawy. Podmiot odczuwa potrzebę silnej aktywności i różnorodnych kontaktów. Zachowuje świeżość umysłu.

### *W połączeniu z drogą życia 6*

Harmonijny związek między 3 i 6, który charakteryzują emocje, miłość i kreatywność. Głównym niebezpieczeństwem jest sfera emocjonalna, czasem zbyt napięta lub gwałtowna.

Pierwszy punkt zwrotny: edukacja i wyrobienie systemu wartości i odpowiedzialności. Podmiot szuka okazji, by móc wyrazić swoje zdanie w dziedzinie wymagającej kreatywności lub uczynności. Kochliwe usposobienie.

Drugi i trzeci punkt zwrotny: bardzo korzystny rozwój, sukcesy w dziedzinach wymagających kreatywności lub społecznych. Podstawą życiowej równowagi jest zaangażowanie w życie uczuciowe lub rodzinne.

Czwarty punkt zwrotny: przyjemny okres, obfitujący w kreatywne zajęcia i związki. Najważniejsze jest życie uczuciowe, przywiązanie potomków, dzieci, wnuków. Podmiot potrzebuje towarzystwa młodych ludzi.

### *W połączeniu z drogą życia 7*

Połączenie tych dwóch liczb jest neutralne: ekstrawersyjna 3 uzupełnia introwersyjną 7. Są więc bardzo różne również w życiu: 7 charakteryzuje skłonność do przytłaczania 3, która zaś wpływa na zachwianie przemyśleń 7.

Pierwszy punkt zwrotny: komunikatywność, umysł stworzony do nauki i badań. Zamiłowanie do lektury i odkryć. Czasem rozwój bywa powolny, gdyż podmiot ciągle poszukuje.

Drugi i trzeci punkt zwrotny: rozwój w zawodach wymagających zdolności analitycznych, diagnostycznych, w dziedzinach specjalistycznych. Sukces dzięki zdolnościom intelektualnym. Satysfakcje w przyjaźniach. Życie uczuciowe wymagające wzajemnego zrozumienia.

Czwarty punkt zwrotny: wybiórcze kontakty, gdyż podmiot ma silną potrzebę autonomii. Nauka, pisanie, nowe zainteresowania. Przyjemne życie, najlepiej na dużej przestrzeni.

### *W połączeniu z drogą życia 8*

„Elektryczne" aspekty: 3 otwiera porywczą 8 na nowe kontakty i możliwość osiągnięcia sukcesu, lecz 8 nie polepsza wyczucia rozkojarzonej i marnotrawnej 3.

Pierwszy punkt zwrotny: żywa, pełna ekspresji osobowość, potrzebuje wykorzystania energii w akcji i praktycznym działaniu. Podmiot ma pewien magnetyzm, co wpływa na dokonywane transakcje.

Drugi i trzeci punkt zwrotny: sukces w interesach, handlu lub innych obowiązkach. Ryzyko rozkojarzenia, aroganckich zachowań lub manipulacji drugim człowiekiem.

Czwarty punkt zwrotny: aktywne życie, obfitujące w kontakty i zajęcia związane z interesami. Raczej dynamiczna działalność, lecz podmiot powinien unikać egocentryzmu.

### *W połączeniu z drogą życia 9*

Podkreślona jest komunikatywność, otwartość na społeczeństwo, zagranicę, lecz życie prywatne zachwiane przez niekontrolowane wybuchy emocjonalne.

Pierwszy punkt zwrotny: wyraziste, przeważnie wesołe i dynamiczne otoczenie. Podmiot odczuwa pociąg do świata zewnętrznego, podróży, pociągają go dziedziny wymagającej kreatywności. Sumiennie pracuje, choć potrzebuje pochwał. Sfera uczuciowa pełna gwałtowności.

Drugi i trzeci punkt zwrotny: droga do sukcesu obfituje w zmiany, rozterki, ale podmiot, mimo huśtawki nastrojów i podejrzliwości, i tak odniesie sukces dzięki wysokiej jakości przemyśleń, inspiracji, trafnym kontaktom.

Czwarty punkt zwrotny: okres kontaktów i zajęć, najchętniej społecznych, związanych z nauką lub podróżami. Doskonała komunikacja i kreatywność.

## PUNKT ZWROTNY 4: PRACA, TWÓRCZOŚĆ, ORGANIZACJA

### *W połączeniu z drogą życia 1*

Projekty powinny być przygotowywane roztropnie i z dużym wyczuciem. Podmiot powinien pracować nad komunikatywnością i unikać przesadnych ograniczeń.

Pierwszy punkt zwrotny: wąski krąg rodzinny spowalnia rozwój dziecka i młodego człowieka. Pracowitość wpajana od małego, którą podmiot odczuwa jako narzuconą samotność. Rozwija się dzięki wykonywanym poleceniom.

Drugi i trzeci punkt zwrotny: rozwój odbywa się zarówno dzięki pracy i tworzeniu, jak i własnym inicjatywom. Otoczenie jest raczej wąskie; bardzo mało kontaktów. Istnieje możliwość rozszerzenia więzi ze światem, pod warunkiem że podmiot będzie do tego dążył.

Czwarty punkt zwrotny: charakterystyczna jest tu praca, czasem wymuszana przez obowiązki. Ograniczone połączenie ze światem zewnętrznym. Te relacje mogą się poprawić, jeśli podmiot pracuje w tym kierunku.

### *W połączeniu z drogą życia 2*

Konfiguracja dosyć konstruktywna w sferze zawodowej i materialnej. Zwykle podmiot realizuje się we współpracy lub partnerstwie. Ciągłe wątpliwości i napięcia w sferze uczuciowej. Dyplomacja, wyrozumiałość i cierpliwość są niezbędne.

Pierwszy punkt zwrotny: bezpieczny rozwój, choć podmiot nieraz odczuwa presję nauczycieli, rodziny. Często zastanawia się nad wyborem właściwej drogi. Jest sumienny, lecz brak mu spontaniczności; bardzo nerwowy i czasem niezdarny w związkach i życiu prywatnym.

Drugi i trzeci punkt zwrotny: kariera, realizacja planów zawodowych są niezbędne dla życiowej równowagi; nawet jeśli kompetencje i zdolności są przez wszystkich doceniane, podmiot często wątpi w siebie. Życie uczuciowe zależy od dobrych relacji z rodziną i środowiskiem.

Czwarty punkt zwrotny: okres nacechowany silną potrzebą bezpieczeństwa i komfortu. Przeważnie potrzeby te są zrealizowane, choć zdarza się, że podmiot podjął zobowiązania, które będzie wypełniał, jak długo się da.

### *W połączeniu z drogą życia 3*

Konfiguracja pozwala na uporządkowanie zarówno planów, jak i pomysłów podmiotu, przy zachowaniu szerokich poglądów i komunikatywności. Życie prywatne ostrożne i dyskretne.

Pierwszy punkt zwrotny: blokada ekspresji, niewiele wybuchów, a nawet brak głębszych uczuć. Zdyscyplinowanie. Rozwój jest wolny, należy pracować nad umiejętnością wyrażania własnych opinii.

Drugi i trzeci punkt zwrotny: duży wysiłek, a mimo to niepewny lub nie dość satysfakcjonujący efekt. Należy być wytrwałym, panować nad sobą, nie zapominając przy tym o kontaktach i komunikacji. Rozwój odbywa się powoli, ale skutecznie.

Czwarty punkt zwrotny: przez kreatywność, możliwość rozwoju w wielu dziedzinach, nowe kontakty, naukę. Ryzyko braku wytrwałości lub wiary w siebie.

### *W połączeniu z drogą życia 4*

Dobra struktura i koncentracja, lecz powolne tempo, przez co poglądy mogą zostać ograniczone. Siłą rzeczy komunikacja jest mało rozwinięta, co czasem prowadzi do zawiłych i kłopotliwych sytuacji.

Pierwszy punkt zwrotny: dzieciństwo i dorastanie bardzo powolne. Ograniczone wyrażanie własnego zdania, być może przez brak jednego z rodziców. Pracowity okres szkolny i trudny wybór zawodu.

Drugi i trzeci punkt zwrotny: okres wytężonej pracy, równowagi, lecz istnieją pewne ograniczenia. Czasem należy zaakceptować przeszkody i wytrwać w wysiłku dopóty, dopóki sytuacja nie rozwiąże się w sposób satysfakcjonujący. Duża odporność i cierpliwość. Konfiguracja ta nie sprzyja bogatemu życiu prywatnemu.

Czwarty punkt zwrotny: bezpieczne życie, lub wręcz przeciwnie, wymagające opanowania i uporządkowania. W każdym razie nic nie dzieje się bez wysiłku.

### *W połączeniu z drogą życia 5*

Konfiguracja pozornie uporządkowana, choć to raczej paradoks, gdyż 4 może ograniczać wolność 5, a 5 otworzyć 4, jednocześnie ją destabilizując. Nowe pomysły i pragnienia brutalnie zmieniają porządek, osiągnięty poprzednio dzięki dużym wysiłkom.

Pierwszy punkt zwrotny: pracowitość i wytrwałość, opanowane już za młodu. Chwilami kłopoty z koncentracją, zmienność, co powoduje rozwój skokowy. Możliwe są trudności z adaptacją w sferze zawodowej.

Drugi i trzeci punkt zwrotny: dominują kariera i wysiłek zawodowy, oraz towarzyszące im przymusowe i trudne zmiany. Sytuacja jest raczej niestabilna i wymaga stałej uwagi. Z czasem staje się ona pewniejsza.

Czwarty punkt zwrotny: należy włożyć duży wysiłek, aby ustabilizować sytuację materialną. Jeśli podmiot nauczył się panować nad groźbą niestabilności, potrafi z upływem czasu pokonać przeszkody i ryzyko.

### *W połączeniu z drogą życia 6*

Jest to harmonijna i stabilna konfiguracja, korzystna dla życia zawodowego i rodzinnego. Cierpliwość i rozwaga należą do podstawowych zalet podmiotu.

Pierwszy punkt zwrotny: już za młodu podmiot nauczony został właściwego pojęcia pracy, porządku i odpowiedzialności. Otoczenie dające poczucie bezpieczeństwa, lecz w pewien sposób ograniczające.

Drugi i trzeci punkt zwrotny: podmiot dobrze odnajduje się zarówno w rodzinie, ognisku domowym, jak i w obowiązkach zawodowych, karierze. Solidność i trwałość. Wytrwałość zostaje wynagrodzona.

Czwarty punkt zwrotny: podmiot powinien czuwać nad interesami i wywiązywać się z obowiązków, również tych rodzinnych. Realizuje się z dużą odwagą i oddaniem, wzbudza sympatię i zaufanie. Jest to raczej bezpieczny okres.

### *W połączeniu z drogą życia 7*

Harmonijna konfiguracja umysłu (7) i materii (4). Inteligentne, dobrze przemyślane i solidne działanie. Życie podmiotu w ważnych dziedzinach jest dobrze opanowane.

Pierwszy punkt zwrotny: już jako młody człowiek podmiot odkrywa zalety pracy, uporządkowanego życia, analizy. Jego atuty pozwalają na dobre studia i ambitne cele. Zbyt powolne podejmowanie decyzji, brakuje mu również zdolności okazywania uczuć. Samotność.

Drugi i trzeci punkt zwrotny: pracowitość podczas realizacji, odnalezienie się w specjalistycznej lub oryginalnej dziedzinie. Sukces i poszukiwanie wartości również w życiu prywatnym i uczuciowym.

Czwarty punkt zwrotny: satysfakcja z dobrze wykonanej pracy, zdolności w różnych dziedzinach. Główne aspekty życia są zwykle korzystne, lecz bardzo ważne jest czuwanie nad zdrowiem, tak moralnym, jak i psychicznym.

### *W połączeniu z drogą życia 8*

4 i 8 należą do jednej i tej samej rodziny, a co za tym idzie, współgrają ze sobą, lecz 4 ma skłonność do ograniczania gwałtowności i ambicji 8. W niektórych wypadkach szkodzi to rozwojowi, gdy 4 bierze górę.

Pierwszy punkt zwrotny: możliwe jest opóźnienie w rozwoju, podmiot otrzymuje bogate wykształcenie na wysokim poziomie. Widoczny jest wysiłek i dyscyplina.

Drugi i trzeci punkt zwrotny: praca, interesy, kariera biorą górę w pracowitym i rywalizującym ze sobą otoczeniu, lecz wytrwałość i rozwaga pozwalają zrealizować plany. Podmiot powinien jednak unikać spekulacji finansowych.

Czwarty punkt zwrotny: dobra energia czuwa nad dojrzałością podmiotu, który długo odczuwa potrzebę działania. Ma rozliczne plany i możliwość ich realizacji. Powinien jednak panować nad sobą (nerwowość, przemęczenie).

### *W połączeniu z drogą życia 9*

Poziom 9 jest wysoki, a 4 jest liczbą pragmatyczną i konkretną; obie mogą współdziałać, lecz jest to trudne. W tym wypadku 4 ma skłonność do ograniczania aspiracji 9.

Pierwszy punkt zwrotny: podmiot wyczuwa silny nacisk na edukację i bywa sfrustrowany w sferze emocjonalnej. Bardzo wcześnie pragnie realizować ambitne plany społeczne, lecz jego rozwój jest hamowany; musi uzbroić się w cierpliwość i wyrozumiałość.

Drugi i trzeci punkt zwrotny: podmiot może trafić na okres sukcesu, jeśli planował rozwinąć się w kontaktach zagranicznych. Wszystkie zawody związane z usługami, edukacją, społeczeństwem są do podjęcia. Życie uczuciowe może być bardzo chwiejne.

Czwarty punkt zwrotny: mimo upływu czasu podmiot pozostaje aktywny i zajmuje się sprawami społecznymi. Zachowując energię, może jeszcze wiele planów zrealizować. Czasem nie docenia swoich możliwości, zniechęca się. Być może zmieni styl życia.

## PUNKT ZWROTNY 5: ZMIANY, NOWY ROZWÓJ, EKSPANSJA

### *W połączeniu z drogą życia 1*

Dynamiczna i ekspansywna konfiguracja. Dobre wyniki, gdy pod kontrolą znajdują się impulsywność i ryzyko. Brak stabilności w związkach.

Pierwszy punkt zwrotny: podmiot rozwija się w korzystnym środowisku, bez większych przeszkód. Czasem konieczne jest dostosowanie się do nowych warunków (zmiana miejsca, statutu życiowego, szkoły). Możliwość licznych i różnorodnych doświadczeń. Ryzyko zbyt dużej wolności.

Drugi i trzeci punkt zwrotny: przewidywane zmiany, nowa, entuzjastycznie przyjmowana sytuacja. Czasem jedna zmiana pociąga za sobą kolejną, co prowadzi do typowego ciągu niestabilności. Należy czuwać nad zarządzaniem finansami. Życie uczuciowe gwarantujące niezależność. Dominują podróże, przemieszczanie się.

Czwarty punkt zwrotny: świeżość umysłu, czasem również ciała, podmiot nie poddaje się upływowi czasu. Z reguły radość, podróże, spotkania i nowe zainteresowania. Pozostaje otwarty i nie poddaje się.

### *W połączeniu z drogą życia 2*

Trudne połączenie dwóch liczb, które jednak w dziwny sposób przyciągają się. Wyzwalają pewien magnetyzm, urok, lecz powodują również sytuacje niestabilne, prowadzące do rozczarowań, bolesnych związków, bardzo gwałtownych uczuć, chyba że podmiot ma silnie rozwiniętą świadomość i potrafi zapanować nad tego typu sytuacjami (co przychodzi z czasem i doświadczeniem).

Pierwszy punkt zwrotny: trudno jest wykorzystać energię podmiotu, sytuacja rodzinna jest raczej trudna i niestabilna: trudności z długotrwałą nauką. Sfera uczuciowa bardzo dobrze rozwinięta, podmiot jest uczuciowy, odważny w miłości. Bogaty, lecz trudny do uporządkowania okres.

Drugi i trzeci punkt zwrotny: rozdarty pomiędzy harmonią, stabilnością a silną potrzebą wolności i niespodzianek; podmiot stopniowo rozwija się w różnych dziedzinach życia. Pomimo kilku wypadków, los mu sprzyja, chyba że jest zbyt konserwatywny i nie potrafi się dostosować.

Czwarty punkt zwrotny: zamiłowanie do życia, odkryć, kontakty z młodymi ludźmi lub osobami o świeżym umyśle, podróże, przeżyte i przekazane doświadczenia wzbogacają punkt zwrotny. Czasem anarchiczne podejście do życia może uszczuplić efekt.

### *W połączeniu z drogą życia 3*

Harmonijne połączenie: te dwie liczby pozwalają na pomyślny rozwój i zapewniają szczęście w interesach i życiu codziennym. Problem polega na braku stabilności i wytrwałości. Zachowując umiar, podmiot może cieszyć się życiem i w pełni z niego korzystać.

Pierwszy punkt zwrotny: podmiot obdarzony jest urokiem osobistym i darem przekonywania; może interesować się teatrem, muzyką lub zawodem związanym z przekazem. Musi jednak nauczyć się panować nad zbyt gwałtownymi reakcjami i egoistycznymi pobudkami. Niestabilność, ale wzbogacające doświadczenia.

Drugi i trzeci punkt zwrotny: zmiana sytuacji, nowe koncepcje, podróże i rozkwit. Podmiot nie powinien jednak podejmować zbyt dużego ryzyka (w żadnej dziedzinie), gdyż w każdej chwili można stracić to, co już osiągnął lub wygrał.

Czwarty punkt zwrotny: zmiana statusu, zmiana kursu, nowe plany. Okres ten jest pełen potrzeby działania. Świeżość umysłu nie powinna jednak tłumić głosu zdrowego rozsądku i higieny życia.

### *W połączeniu z drogą życia 4*

Zapowiedź zmiany, rozwoju w zupełnie nowym kierunku, w sferze zawodowej lub materialnej. 4 dąży do stabilizacji doświadczeń, może również hamować lub opóźniać zmiany.

Pierwszy punkt zwrotny: dominacja niestabilności. Podmiot powinien nauczyć się porządku, organizacji i regularności. W przeciwnym wypadku istnieje ryzyko zbytniego liberalizmu, niestałości i źle wykorzystanej wolności.

Drugi i trzeci punkt zwrotny: zmiana sytuacji, miejsca lub stylu życia. Rozwój przechodzi wzloty i upadki, gdyż podmiot raz bywa sumienny i skoncentrowany, to znów nieokiełznany i zniechęcony. Należy nauczyć się regularności i panowania nad sobą; unikać okresów przeciążenia i następujących po nich faz całkowitego odprężenia: skrajności nie służą podmiotowi.

Czwarty punkt zwrotny: nowe zajęcia i zainteresowania. Potrzeba wykorzystania nagromadzonej energii. Skłonność do nadgorliwości i ogromnych wymagań wobec otoczenia. Silne pragnienie wolności.

### *W połączeniu z drogą życia 5*

Duża zdolność do adaptacji i możliwość licznych realizacji, pod warunkiem że nic nie stanie na przeszkodzie i nie będzie się nadużywać wolności.

Pierwszy punkt zwrotny: podmiot ma wielką energię, potrzebuje wyzwolić się z zahamowań. Już w okresie dojrzewania podróże lub doświadczenia związane z pobytem za granicą mają korzystny wpływ. Silne pragnienie odkrywania, poznawania, lecz również rozkojarzenie.

Drugi i trzeci punkt zwrotny: liczne zmiany, nowe doświadczenia. Warunki życia stale ulegają zmianom. Podmiot napotyka wiele korzystnych sytuacji, które dzięki wyczuciu potrafi dobrze wykorzystać. Sukces ludzi, którzy w pełni korzystają z życia, panując przy tym nad impulsywnością.

Czwarty punkt zwrotny: ciągłe zmiany, nowe zainteresowania, silna potrzeba przebywania z ludźmi. Podróże, przygody, nauka. Świeżość umysłu, ale należy panować nad nerwowością.

***W połączeniu z drogą życia 6***

Potrzeba wolności 5 przeciwstawiona zrównoważeniu, stabilności i surowym zasadom 6. 5 prowokuje zmianę w pracy lub w życiu rodzinnym, być może będzie to przeprowadzka. Nowa sytuacja może okazać się jednak nietrwała.

Pierwszy punkt zwrotny: podmiot wykazuje dużą zdolność adaptacji, siłę ekspresji i duży urok osobisty. Nadwrażliwość. Dzięki edukacji ma poczucie obowiązku. Trudno mu dokonywać ważnych wyborów.

Drugi i trzeci punkt zwrotny: podmiot może odnieść sukces w interesach, finansach, nieruchomościach. Obdarzony jest charyzmą, zręcznością i dużym urokiem osobistym, który bardzo ułatwia kontakty z ludźmi. Powinien jednak czuwać nad stabilnością związków.

Czwarty punkt zwrotny: duże zainteresowanie domem, spuścizną, rodziną, a także estetyką, sztuką. Należy panować nad uczuciami, nadmierną nerwowością, niecierpliwością i nie brać wszystkiego do siebie.

***W połączeniu z drogą życia 7***

Dobre połączenie tych dwóch liczb, które potrzebują przestrzeni i są ciekawe świata, nowości i odkryć. 5 korzystnie wpływa na nowe doświadczenia, lecz nie gwarantuje trwałości. 7 musi otworzyć się na nowe okoliczności i mądrze z nich skorzystać.

Pierwszy punkt zwrotny: aby się w pełni zrealizować, podmiot potrzebuje przestrzeni i wolności, rozrywki, ucieczki, zabawy. Kontakty z ludźmi sprawiają mu przyjemność. Kłopoty z koncentracją i nadmiarem wymagań.

Drugi i trzeci punkt zwrotny: rozwój w zawodach związanych z marketingiem, reklamą lub specjalistycznym doradztwem. Podmiot posiada dużą wiedzę i zręczność, tak w pracy, jak i w kontaktach z otoczeniem.

Życie uczuciowe może zupełnie zmienić swój przebieg, bardziej skłonić się ku tajemnicy.

Czwarty punkt zwrotny: otwartość na świat, z zachowaniem autonomii i prywatności. Potrzeba nauki, zrozumienia i wykorzystania wiedzy w każdej dziedzinie. Raczej przyjemny okres. Podróże, przygody.

### *W połączeniu z drogą życia 8*

Kontrastowe połączenie 5 i 8, co powoduje pewną niestabilność finansową, a nawet znaczne ryzyko. Należy zachować ostrożność w każdej dziedzinie.

Pierwszy punkt zwrotny: podmiot ma ogromną energię, która może zostać wykorzystana w sporcie lub pracy fizycznej. Już jako młody człowiek posiada silną osobowość i wykazuje własne inicjatywy. Przeszkody nie przerażają go, ale stanowczo sprzeciwia się każdej formie agresji.

Drugi i trzeci punkt zwrotny: możliwy jest sukces w interesach i realizowaniu planów. Należy zachować dużą ostrożność w spekulacjach i inwestycjach, gdyż materialna droga odznacza się wzlotami i upadkami. Przesada może odbić się na zdrowiu.

Czwarty punkt zwrotny: podmiot ma skłonność do powolności w działaniu. Łatwo przychodzą zyski finansowe, lecz należy dobrze nimi zarządzać. Zwrócić uwagę na racjonalne odżywianie.

### *W połączeniu z drogą życia 9*

Konfiguracja ta bardzo dobrze wpływa na naukę, podróże, odkrycia, sprawy społeczne, kontakty zagraniczne, szeroko rozumianą wolność. Przy ograniczonej wolności wibracja ta jest trudna do zaakceptowania.

Pierwszy punkt zwrotny: podmiot jest bardzo otwarty i już jako młody człowiek odczuwa potrzebę przebywania z innymi ludźmi, podróżowania, odkrywania świata. Niestabilne otoczenie ma na niego duży wpływ. Wszystko to bardzo go wzbogaca i daje szerokie spojrzenie na życie, chyba że jest to osoba myśląca jedynie o własnych korzyściach.

Drugi i trzeci punkt zwrotny: nieograniczony rozwój w kierunku ekspansywności i kontaktu z innymi ludźmi, zagranicą, światem. Sukces jest gwarantowany, jeśli podmiot zapanuje nad skłonnością do przesady u 5 i jeśli zakładane cele są możliwe do zrealizowania.

Czwarty punkt zwrotny: okres ten przebiega pod znakiem wielu nowości, podróży, odkryć. Bogate i zróżnicowane kontakty, kreatywne i artystyczne działania mogą dostarczyć jeszcze więcej emocji. Należy czuwać nad nerwowością i gwałtownością uczuć.

## PUNKT ZWROTNY 6: ZOBOWIĄZANIA, RODZINA, DOM

### *W połączeniu z drogą życia 1*

Konfiguracja kładzie nacisk na obowiązki, pracę i uczynność. Pod wpływem 6 należy nauczyć się dążenia do porozumienia i harmonii. Połączenie z drogą życia 1 jest korzystne.

Pierwszy punkt zwrotny: dziecko żyje w bezpiecznym otoczeniu, w atmosferze miłości i ciepła rodzinnego. Adaptacja i obowiązki. Poszukiwanie porozumienia w sferze uczuciowej: związek, ognisko domowe.

Drugi i trzeci punkt zwrotny: nowe obowiązki. Ważna decyzja lub zwrot w karierze. W tym okresie możliwe jest również stworzenie związku. Solidny kontrakt, zwykle bardzo korzystny. Komfortowa sytuacja materialna.

Czwarty punkt zwrotny: harmonijne i bezpieczne życie. Bezpieczeństwo i udane życie uczuciowe.

### *W połączeniu z drogą życia 2*

Zgodne połączenie 6 i 2: harmonia uczuć, bezpieczne związki. Należy bardzo dokładnie rozważać finansowe decyzje, gdyż nie zawsze trzeba podążać za głosem serca, które czasem zniekształca rzeczywistość.

Pierwszy punkt zwrotny: bezpieczne i pełne ciepła życie rodzinne. Potrzeba wyrażania uczuć i pragnienie stworzenia związku. Możliwe niezdecydowanie w sprawie właściwej drogi do kariery, lub dążenie do celu, a równocześnie jakieś hobby lub artystyczne zajęcia.

Drugi i trzeci punkt zwrotny: życie uczuciowe jest ważnym czynnikiem sprzyjającym ogólnej równowadze. Nowe możliwości zawodowe: należy podjąć ostateczną decyzję. Obowiązki, ale raczej bezpieczny okres. Oprócz nieruchomości i sztuki należy zachować ostrożność w kwestiach finansowych.

Czwarty punkt zwrotny: rozwinięte poczucie obowiązku i przynależności do rodziny. Bezpieczna sytuacja materialna i, zwykle, obfitująca w ciepło sfera emocjonalna. Nie należy zbyt dużo wymagać od bliskich, unikać przesadnego perfekcjonizmu.

### *W połączeniu z drogą życia 3*

Harmonijne połączenie, jeśli opanowane zostaną nadmierne wybuchy emocjonalne i skłonność do rozkojarzenia. Korzystna wibracja dla życia uczuciowego, komunikacji i zajęć związanych z usługami, a także dla kariery artystycznej.

Pierwszy punkt zwrotny: cały ten okres jest bardzo udany. Dzieciństwo i czas dojrzewania przebiegają w harmonijnej atmosferze, już wtedy wpojony jest odpowiedni system wartości i poczucie obowiązku. Należy dobrze przemyśleć wybór drogi życia i nie angażować się zbyt pochopnie w rodzinne więzy.

Drugi i trzeci punkt zwrotny: podstawowe sfery życia przebiegają bez zastrzeżeń. Interesy i kariera napotykają wiele korzystnych sytuacji, a życie uczuciowe jest bardzo zrównoważone. Podmiot musi jednak nauczyć się koncentracji, dojrzałości i opanowania.

Czwarty punkt zwrotny: bezpieczny i zrównoważony okres życia. Wiele kontaktów i zainteresowań, rozrywek i relaksu. Jeśli wcześniej realizowanie planów sprawiało pewne trudności, podmiot doceni teraz prezent od losu.

### *W połączeniu z drogą życia 4*

Harmonijne połączenie 6 i 4 w wielu dziedzinach. Jeśli podmiot wywiązuje się z obowiązków i obiera konstruktywne cele, osiągnie równowagę. Wszystko, co dzięki tej wibracji zostanie osiągnięte, przetrwa bardzo długo.

Pierwszy punkt zwrotny: solidne wykształcenie. Okres szkolny przebiega pomyślnie dzięki dużej pracowitości. Związek, rodzina. Wiele obowiązków w każdej dziedzinie.

Drugi i trzeci punkt zwrotny: okres pomyślnych rozwiązań i wspinania się po drabinie kariery. Solidność w budowaniu związku i zakładaniu rodziny. Bezpieczna sytuacja w każdej dziedzinie.

Czwarty punkt zwrotny: główne aspekty życia są stabilne. Pomyślny rozwój w interesach i kontynuacja ewentualnej działalności społecznej. Wiele obowiązków w życiu rodzinnym.

### *W połączeniu z drogą życia 5*

Bardzo delikatne połączenie odpowiedzialności i przywiązania do zasad 6 i poczucia wolności 5, która wzbrania się przed nadmiernymi ograniczeniami. Wraz z doświadczeniem i dojrzałością liczby te mogą lepiej współistnieć, jeśli ich ekstremalne skłonności zostaną ograniczone.

Pierwszy punkt zwrotny: łatwość adaptacji korzystnie wpływa na uzewnętrznianie się podmiotu i wzmacnia jego siłę perswazji. Ogromny urok osobisty i pewien magnetyzm. Życie uczuciowe burzliwe i niestabilne; niełatwo również ustabilizować się w życiu zawodowym, możliwe są jednak bardzo korzystne okoliczności.

Drugi i trzeci punkt zwrotny: skokowy rozwój. Podmiot musi przystosować się do zmian w karierze. Możliwe są również zmiany miejsca zamieszkania lub stylu życia. Jeśli trudno dojść do porozumienia w związku, życie uczuciowe może również ulec zmianie. Samotni z łatwością spotykają bratnie dusze. Sprzyjające okoliczności.

Czwarty punkt zwrotny: bardzo interesujący okres dla tych, którzy oddają się artystycznym, kreatywnym, zajęciom, wpływającym na dobre samopoczucie, lub dla osób zachowujących świeżość umysłu. Jeśli skrajności 5 są kontrolowane, co zdarza się bardzo często, gwarantowana harmonia i bezpieczeństwo.

### *W połączeniu z drogą życia 6*

Istnieje pewna niezgodność między dwiema 6: ciężka, niesprzyjająca aura, trudne do pokonania przeszkody, rozmaite obowiązki. Nie należy się obwiniać, unikać nietolerancji i pochopnych osądów.

Pierwszy punkt zwrotny: silnie rozwinięta intuicja, niełatwe porozumienie z bliskim otoczeniem. Podmiot potrzebuje akceptacji i wsparcia, lecz bez nachalności. Skłonność do zamykania się w sobie, trudności z wybraniem drogi zawodowej.

Drugi i trzeci punkt zwrotny: wiele obowiązków i duża odpowiedzialność, czasem w życiu rodzinnym, a także w zawodowym. Rozwój kariery w dziedzinie społecznej, zarządzaniu, pedagogice, prawie lub sztuce i kreatywnych dziedzinach. Bardzo ciężka atmosfera, możliwe załamania. Przenikliwość.

Czwarty punkt zwrotny: okres ten może być bardzo bezpieczny, lecz obfituje w obowiązki. Nie podejmować niepotrzebnych zajęć i nie czuć się odpowiedzialnym za wszystko i wszystkich.

### *W połączeniu z drogą życia 7*

6 i 7 tworzą całość wzajemnie się dopełniającą; aby osiągnąć optymalną równowagę, należy dążyć do wysokiej jakości, autentyczności w życiu.

Jeśli 6 nie otworzy się na świat i nie będzie tolerancyjna, istnieje ryzyko niezgody.

Pierwszy punkt zwrotny: wpojone już za młodu poczucie odpowiedzialności, lecz podmiot ma kłopoty z wyrażaniem uczuć. Może więc czuć się przytłoczony i niezrozumiany. Duże wątpliwości przy wybraniu właściwej drogi życia. Sprzyjające okoliczności, niespodziewana pomoc.

Drugi i trzeci punkt zwrotny: specjalistyczny, specyficzny lub zaangażowany w sprawy społeczne zawód. W sferze uczuciowej możliwe kłopoty lub przejściowe kryzysy. Aby osiągnąć równowagę w życiu, należy dokonać trafnego wyboru, odpowiadającego najskrytszym pragnieniom. Czasem niespodziewane, korzystne zwroty.

Czwarty punkt zwrotny: okres wybiórczych kontaktów, poszukiwanie autentyczności i naturalności. Czasem zupełnie nieoczekiwana zmiana w życiu uczuciowym, częściej jednak nowy dom, nowy styl życia i zupełnie nowe zainteresowania.

### *W połączeniu z drogą życia 8*

Zgodność między 6 i 8 w życiu zawodowym, w karierze. W życiu uczuciowym, nawet jeśli związki są bardzo silne, stałość może zupełnie niespodziewanie i brutalnie zniknąć. Nic nie jest oczywiście przesądzone z góry.

Pierwszy punkt zwrotny: otoczenie i rodzina dają poczucie bezpieczeństwa, ale również bardzo surową edukację. Podmiot obarczony jest dużą odpowiedzialnością i wieloma zadaniami. Czasem próbuje dominować. Jednym z jego ważnych celów jest założenie rodziny.

Drugi i trzeci punkt zwrotny: do rozważenia bardzo ważna decyzja lub zmiana w karierze. Nowe obowiązki, poprawa statusu. Istnieje ryzyko nieporozumienia w związku. Niewykluczona separacja. Jeśli nie, wszystko nabierze jeszcze lepszej równowagi.

Czwarty punkt zwrotny: bezpieczny okres, szczególnie finansowo i materialnie. Pomyślność w interesach, dalszy rozwój kariery. Czasem rodzinne obowiązki i sprzeczki.

### *W połączeniu z drogą życia 9*

Doskonała wibracja dla komunikacji, ale również dla działań społecznych i altruistycznych. Jeśli uczucia są opanowane, jest to harmonijna i bogata dla każdej sfery konfiguracja.

Pierwszy punkt zwrotny: podmiot odczuwa silną potrzebę miłości z wzajemnością, której brak utrudnia mu życie. Zamiłowanie do sztuki, zawodu związanego z zagranicą. Jeśli nie odkryje powołania, wybór jest bardzo trudny i długotrwały. Nietrwałe więzi.

Drugi i trzeci punkt zwrotny: jeszcze większe obowiązki wobec zbiorowości, publiczności lub zagranicy. Kariera ewoluuje na wyższy poziom. Zaangażowanie w działalność wymagającą wyobraźni i kreatywności. Sukces finansowy. Burzliwe życie uczuciowe; jeśli emocje nie zostaną opanowane, będzie dość ryzykownie.

Czwarty punkt zwrotny: okres odnoszenia sukcesów w pracy; zwrot w kierunku nowego zobowiązania. Ważne obowiązki, autorytet dla innych. Barwne życie, szczęście i sukces, jeśli tylko emocjonalne wybuchy zostaną opanowane.

### PUNKT ZWROTNY 7: WIEDZA, NAUKA, ROZWÓJ W NOWYM KIERUNKU

#### *W połączeniu z drogą życia 1*

Jest to dość uciążliwa konfiguracja, chyba że 7 wniesie swoją wiedzę i umysł analityczny do działań 1. Trudnym aspektem jest samotność, brak wsparcia. Niespodziewane okoliczności mogą jednak zmienić los.

Pierwszy punkt zwrotny: podmiot czuje się samotny i nie znajduje wsparcia w swoim otoczeniu, szybko więc uczy się sam sobie radzić. Możliwe zdolności naukowe. Zainteresowanie zawodem niezależnym.

Drugi i trzeci punkt zwrotny: udany rozwój, czasem w zupełnie oryginalnym kierunku. Analiza i diagnoza na wysokim poziomie. Czasem życie na marginesie, z dala od przetartych szlaków. Niekonwencjonalna sfera uczuciowa. Ostrożność w zarządzaniu finansami i dobrami materialnymi.

Czwarty punkt zwrotny: okres intelektualny, naukowy, poświęcony badaniom. Potrzeba przestrzeni i wolności; czasem konieczne jest odizolowanie się. Życie wewnętrzne, pisanie, bardzo wyszukane, wyselekcjonowane kontakty. Wiele zajęć.

#### *W połączeniu z drogą życia 2*

2 i 7 są z zasady „kobiecymi" liczbami; jest to dobre połączenie, jeśli chodzi o wyobraźnię, wrażliwość, uzdolnienia plastyczne, artystyczne,

poczucie rytmu, zdolność do uczuć. Jednak ich droga życia ulega wielu zmianom, powodując dwoistości i napięcia w sferze emocjonalnej. Na szczęście istnieją również pomyślne trafy i miłe niespodzianki.

Pierwszy punkt zwrotny: raczej słabo rozwinięta ekspresja, szczególnie w sferze emocjonalnej. Dość przytłaczające otoczenie. Podmiot z trudem odnajduje punkty zaczepienia, wybór przyszłej drogi sprawia wiele trudności, nawet gdy bardzo wcześnie ujawniają się predyspozycje.

Drugi i trzeci punkt zwrotny: rozwój w ciekawym i niespodziewanym kierunku, bardzo obiecujący. Nowe kontakty, nieznane dotychczas środowisko. Nie jest to okres korzystny dla finansów i dóbr materialnych, ale podmiot zupełnie o nie nie zabiega. Trzeba nauczyć się korzystać z tego, co jest w zasięgu ręki, niczego nie przyspieszać i dobrze wykorzystywać sprzyjające okoliczności, akceptując wszelkie nowości. Bardzo umiejętnie postępować w życiu uczuciowym lub w związku.

Czwarty punkt zwrotny: raczej bezpieczny okres, jeśli unika się finansowych spekulacji, zbyt ryzykownych sytuacji, konfliktów rodzinnych. Spokój i życie wewnętrzne.

### *W połączeniu z drogą życia 3*

Neutralne połączenie: równowaga, czyli uzupełnienie introwersji 7 ekstrawersją 3. Liczby te wyzwalają kreatywność, inspirację, oryginalne pomysły, pozwalają na nieoczekiwane punkt zwrotny.

Pierwszy punkt zwrotny: powolny rozwój w uciążliwym otoczeniu. Podmiot z trudem komunikuje się; natomiast łatwo przychodzi mu nauka, szybko potrafi zrozumieć to, czym jest zainteresowany. Nieoczekiwana pomoc pozwoli mu na odnalezienie własnej drogi.

Drugi i trzeci punkt zwrotny: sukces w dość specjalistycznych dziedzinach, czasem związanych z techniką lub nowoczesnymi środkami komunikacji (informatyka, audiowideo). Może to być również posada doradcy. Wiele niespodzianek i gwałtownych zmian, otwierających nowe perspektywy. Życie uczuciowe będzie udane tylko wtedy, gdy zachowane zostanie minimum niezależności u obojga, czyli prawdziwy partnerski układ.

Czwarty punkt zwrotny: kreatywność w pisaniu, wydawnictwo lub bardzo ścisłe zainteresowania. Czasem medytacja, dążenie do dobrego samopoczucia i poszukiwanie prawdziwych wartości. Szczere przyjaźnie. Bogate życie, bardzo ciekawe spotkania, podróże.

### *W połączeniu z drogą życia 4*

Połączenie 7 i 4 jest konstruktywne i pozytywne, 7 musi jednak poszerzyć horyzonty praktycznej 4: to duch tworzy materię. Jest to silna wibracja, choć czasem powoduje napięcie i rozdarcie wewnętrzne.

Pierwszy punkt zwrotny: podmiot odczuwa samotność, a czasem nawet zupełny brak emocji. Bardzo słabo rozwinięta komunikacja, ale bogata sfera wewnętrzna i oryginalny rozwój.

Drugi i trzeci punkt zwrotny: nic nie przychodzi bez wysiłku, trzeba polegać na swoim bogatym wnętrzu i dążyć do doskonałości. Obiecujące wyniki, które czasem przekraczają najśmielsze oczekiwania. Niespodziewane szczęśliwe trafy, jednak życie uczuciowe powinno opierać się na solidnych podstawach. Trzeba nauczyć się spontaniczności i zaufać szczęściu.

Czwarty punkt zwrotny: zalecane jest życie na świeżym powietrzu. Spokojny i bogaty duchowo okres. Podmiot poszerza swoją wiedzę i poświęca się ważnym ideom. Czasem żyje samotnie, zawsze jest niezależny.

### *W połączeniu z drogą życia 5*

Niezależne, żądne wiedzy i kochające przestrzeń liczby tworzą dobre połączenie. Źle znoszą rutynę i ograniczenia.

Pierwszy punkt zwrotny: podmiot już za młodu zostaje pozostawiony samemu sobie. Bardzo dobrze wpływają na niego podróże i otoczenie interesujących osób. Jeśli tak nie jest, dość szybko sam wyruszy na poszukiwanie przygód i uwolni się od przytłaczającego środowiska.

Drugi i trzeci punkt zwrotny: bardzo interesujący rozwój, jeśli wykonywany zawód umożliwia podróże i odkrywanie nowych horyzontów, zawieranie ciekawych znajomości, doskonalenie się. W przeciwnym wypadku istnieje ryzyko znudzenia i niestabilności. Aby stworzyć udany związek, trzeba zachować minimum niezależności i dzielić życiowe cele.

Czwarty punkt zwrotny: okres otwartości na świat, podróże, zmiany, różnorodne zainteresowania. Niezbędna pewna doza niezależności oraz życie blisko natury. Czasem ryzyko niestabilności i niedojrzałości, mimo upływu czasu.

### *W połączeniu z drogą życia 6*

Zgodne lub neutralne połączenie: każda sytuacja powinna być poddana dogłębnej analizie, szczególnie przed podjęciem ważnej decyzji. Skłonność do zwątpienia i niezdecydowania.

Pierwszy punkt zwrotny: korzystny wpływ na naukę, podmiot odczuwa jednak niedostateczne okazywanie uczuć, co czasem powoduje brak wiary w siebie oraz trudności z dokonywaniem wyborów. Należy poszerzyć komunikację.

Drugi i trzeci punkt zwrotny: okres obfitujący w niespodzianki i nowe możliwości. Aby zwiększyć szanse osiągnięcia sukcesu, wystarczy nauczyć się dostosowywać do nowości w każdej dziedzinie. Spokój w sferze emocjonalnej, czasem nawet celibat. Bogate wnętrze. Bezpieczeństwo.

Czwarty punkt zwrotny: podmiot poszerza swoją wiedzę, służy radą bliskim, zachowuje niezależność. Równowaga. Aby zachować dobre zdrowie, któremu zagrażają przewlekłe choroby, trzeba przede wszystkim prowadzić higieniczny tryb życia.

### *W połączeniu z drogą życia 7*

Bardzo zmienna konfiguracja; wszystko zależy od świadomości podmiotu: wykształcenie, zapał do nauki, doskonalenia się i rozwijania pomaga się realizować. Inaczej istnieje ryzyko kłopotów, znudzenia i źle znoszonej samotności.

Pierwszy punkt zwrotny: podmiot rzadko ma okazję do wyrażenia swojego zdania, szczególnie gdy jego otoczenie jest mało komunikatywne. Zamiłowanie do nauki, znaczna wiedza. Duża wrażliwość, jednak brak trwałości, tak w życiu prywatnym, jak i zawodowym.

Drugi i trzeci punkt zwrotny: ten okres rozwoju pociąga za sobą nieprzewidywalne skutki. Możliwe punkt zwrotny w dziedzinach badawczych, naukowych, związanych z naukami ścisłymi, społecznymi. Dużo szczęścia nie powinno jednak osłabiać czujności w kwestiach finansowych. Życie uczuciowe na drugim planie, jest to raczej partnerski związek. Przyjaźń.

Czwarty punkt zwrotny: same skrajności, spokój, sielanka, bogate i burzliwe życie lub kłopoty, samotność, złe samopoczucie. Wszystko zależy od wcześniejszych doświadczeń i poziomu świadomości.

### *W połączeniu z drogą życia 8*

Między tymi dwiema wibracjami, uzupełniającymi się lub zupełnie przeciwstawnymi, istnieje niezwykle silna więź. Bardzo dobra wibracja dla analizy finansowej lub dziedzin specjalistycznych. Burzliwe, a co za tym idzie niestałe związki międzyludzkie.

Pierwszy punkt zwrotny: otoczenie jest dość surowe, a czasem nawet konfliktowe. Podmiot powinien wykorzystać tkwiący w nim potencjał, czasem będzie musiał pokazać, co potrafi. Niekiedy wybór przyszłej drogi jest narzucony, konieczne jest więc ponowne przeanalizowanie sytuacji. Życie uczuciowe jest często zbyt intensywne lub frustrujące.

Drugi i trzeci punkt zwrotny: okoliczności sprzyjają spełnieniu i bezpiecznej sytuacji materialnej, możliwe szczęśliwe trafy. Uwaga jednak na skrajności. Aby osiągnąć równowagę, trzeba poświęcić wiele uwagi sferze emocjonalnej. Jeśli tylko zachowany jest rozsądek, rozwój bardzo pomyślny.

Czwarty punkt zwrotny: ogromna energia, liczne projekty i pomysły. Podmiot rozwija się z dużą zręcznością, korzystając z doświadczenia, polepsza swoją sytuację materialną lub bliskich. Trzeba czuwać nad zdrowiem fizycznym i psychicznym oraz nad równowagą w życiu uczuciowym, gdzie szalone i spontaniczne pomysły nie zawsze są rozsądne.

### *W połączeniu z drogą życia 9*

Bardzo kruche połączenie: samotność, wyobcowanie, rozczarowanie relacjami z otoczeniem, chyba że związek opiera się na wspólnych celach, emocjonalnym i intelektualnym partnerstwie.

Pierwszy punkt zwrotny: dominuje samotność, podmiot może cierpieć z braku uczuć i wyrozumiałości. Aby pomyślnie rozwijać się, potrzebna jest lepsza komunikacja. Czasem zmiana otoczenia geograficznego lub bliskich.

Drugi i trzeci punkt zwrotny: rozwój związany z pobytem za granicą, kariera intelektualna, kreatywna, wynalazcza, specjalistyczna. Wibracja ta jest bardziej chwiejna w sferze finansowej, materialnej, a czasem również emocjonalnej. Zalecana przede wszystkim ostrożność.

Czwarty punkt zwrotny: doskonały okres, szczególnie dla nauki, podróży, pedagogiki, odkryć. Duża niezależność może być uwarunkowana źle znoszoną samotnością. Wszystko zależy od tkwiącego w człowieku potencjału.

## PUNKT ZWROTNY 8: MATERIALNY SUKCES, KARIERA, SIŁA OSOBOWOŚCI

### *W połączeniu z drogą życia 1*

Dość nietrwała równowaga i ryzykowna sytuacja materialna i finansowa. Należy starannie analizować fakty i nie ufać pierwszej ocenie. Każde przedsięwzięcie powinno być bardzo dokładnie przemyślane.

Pierwszy punkt zwrotny: podmiot powinien wykorzystać swoją dużą energię i pokazać, co potrafi. Zbyt wysokie ambicje mogą mieć niekorzystny wpływ na efekt końcowy.

Drugi i trzeci punkt zwrotny: bardzo duża aktywność, podmiot musi wywiązać się z obowiązków, nie licząc na pomoc innych. Przesada pociągnie za sobą niekorzystne zmiany. Należy czuwać nad równowagą w sferze emocjonalnej i przede wszystkim nie tracić poczucia sprawiedliwości.

Czwarty punkt zwrotny: bardzo aktywny okres, pełen nowych, ambitnych planów. Należy trafnie ocenić sytuację w interesach i być sprawiedliwym wobec innych. W ten sposób możliwe jest zachowanie równowagi i dalszy rozwój. Duża odporność fizyczna i psychiczna.

### *W połączeniu z drogą życia 2*

Symbol powodzenia w kwestiach materialnych i finansowych. Dobra równowaga. Udane związki. Ogólnie dość bezpieczna konfiguracja, pozwalająca na punkt zwrotny się.

Pierwszy punkt zwrotny: podmiot ma duże zdolności i przyjazne otoczenie; wykształcenie jest dla niego bardzo ważne i może zdobyć dość wysokie. Nietrudno osiągnąć równowagę, choć czasem pojawiają się trudności. Należy dyplomatycznie rozwiązywać problemy.

Drugi i trzeci punkt zwrotny: dużo energii do wykorzystania, należy jednak wykazać cierpliwość i nauczyć się słuchać i szanować innych ludzi. Sukces ułatwią liczne spotkania i sprzyjające okoliczności. Należy jednak otoczyć się właściwymi ludźmi oraz poświęcać więcej czasu i uwagi rodzinie, co jest podstawowym elementem równowagi.

Czwarty punkt zwrotny: bezpieczny, szczęśliwy okres. Należy umiejętnie zarządzać finansami, szczególnie że bogate życie rodzinne pociąga za sobą wiele wydatków. Dobra odporność fizyczna.

### *W połączeniu z drogą życia 3*

Konfiguracja sprzyja interesom i finansom, należy jednak dobrze nimi gospodarować. Zwykle bardzo burzliwe związki. W celu uniknięcia przesady, panować nad własnym zachowaniem.

Pierwszy punkt zwrotny: bardzo dynamiczna atmosfera wpływa na swobodne realizowanie celów i zbieranie nowych doświadczeń. Obiecujące kontakty z ludźmi; jeśli podmiot unika niepewnych związków i bezczynności, już jako młody człowiek będzie mógł pokazać, co potrafi. Życie uczuciowe może być niestabilne.

Drugi i trzeci punkt zwrotny: okres obfitujący w plany i doświadczenia, lecz trzeba umiejętnie gospodarować finansami i dobrami materialnymi. Związki należy budować na solidnych podstawach, wzajemnym zrozumieniu i wspólnych celach, w przeciwnym wypadku życie prywatne może być bardzo chwiejne. Skrajności i przesada źle wpływają na zdrowie.

Czwarty punkt zwrotny: dobra odporność fizyczna i świeżość umysłu. Plany jeszcze przez długi czas będą aktualne, szczęście i sprzyjające okoliczności ułatwią sukces. Należy czuwać nad nieostrożnością i rozkojarzeniem.

### *W połączeniu z drogą życia 4*

Bardzo niestabilne połączenie, wiele ryzykownych sytuacji związanych z finansami i dobrami materialnymi. Wszelkie zobowiązania należy podejmować z duża ostrożnością.

Pierwszy punkt zwrotny: bardzo wymagające otoczenie; podmiot wcześnie uczy się wartościować. Aby rozwijać się w konstruktywny sposób, musi wykazać się dużą pracowitością, tolerancją i zdolnością adaptacji. Związek oparty na bardzo solidnych podstawach.

Drugi i trzeci punkt zwrotny: pracowity, wymagający dużego wysiłku i wytrwałości okres. Bardzo ostrożnie należy zarządzać majątkiem. Niekorzystne inwestycje i napięcie w życiu prywatnym. Równowaga jest niezbędna. Należy kierować się rozsądkiem.

Czwarty punkt zwrotny: jeśli sytuacja finansowa nie została ustabilizowana w poprzednim cyklu, teraz może być bardzo chwiejna. Należy zachować tu dużą ostrożność. Dobra odporność fizyczna i psychiczna.

### *W połączeniu z drogą życia 5*

Zachwiana równowaga w kwestiach finansowych i materialnych. Kłótliwość. Uwaga na zdrowie, szczególnie gdy podmiot prowadzi niehigieniczny tryb życia. Aby uniknąć ciągłych sporów, należy polepszyć kontakty z otoczeniem.

Pierwszy punkt zwrotny: duża energia, którą trzeba wykorzystać w konstruktywny sposób. Podmiot żyje w niestabilnym otoczeniu, powinien więcej polegać na sobie, aby wzbogacić doświadczenie. Potrzebuje dużo ruchu, sportu, lecz powinien uważać na zwichnięcia.

Drugi i trzeci punkt zwrotny: dzięki szczerości i kompetentnej pomocy w zarządzaniu podmiot może realizować swoje ambitne plany. Sukces, rozkwit i bardzo korzystne zmiany są wtedy gwarantowane. W przeciwnym razie droga do celu jest bardzo niestabilna, burzliwa i niebezpieczna. Sukces w przedsiębiorstwie zależy od wielu zmian i służbowych przeniesień. Szczególną uwagę należy poświęcić życiu prywatnemu, co pozwoli uniknąć poważnych kłótni i silnych napięć.

Czwarty punkt zwrotny: dynamiczny, ale i chwiejny okres. Jeśli podmiot jest człowiekiem rozsądnym i opanowanym, osiąga dobre wyniki. W przeciwnym wypadku popada ze skrajności w skrajność. Nieostrożność i zaniedbania tworzą ryzykowne sytuacje.

### *W połączeniu z drogą życia 6*

Korzystna i bezpieczna konfiguracja w sferze materialnej; w sferze uczuciowej należy nauczyć się panowania nad emocjami i dążyć do osiągnięcia harmonii.

Pierwszy punkt zwrotny: podmiot może realizować się w zajęciach wymagających odpowiedzialności, dziedzinach związanych ze sprawiedliwością i władzą. Pozytywne aspekty, mimo że otoczenie jest obojętne. Należy dążyć do harmonii i porozumienia.

Drugi i trzeci punkt zwrotny: kariera rozwija się pomyślnie, towarzyszą jej korzyści finansowe i szacunek. Sukces w interesach (giełda, nieruchomości) lub w pełnieniu odpowiedzialnej funkcji publicznej. Życie prywatne dość ryzykowne, wymaga harmonii i pozytywnego nastawienia.

Czwarty punkt zwrotny: bezpieczny i komfortowy okres. Trudności z wywiązaniem się z niektórych obowiązków, sprzeczki rodzinne, zachwiana równowaga w związku. Dobra odporność fizyczna i psychiczna.

### *W połączeniu z drogą życia 7*

Konfiguracja wymagająca ostrożności w zarządzaniu finansami i dobrami materialnymi. Dobra wibracja dla specjalistycznych zadań i stawiania diagnozy. Życie uczuciowe może być bardzo burzliwe i zmienne.

Pierwszy punkt zwrotny: podmiot ma dużą energię, którą powinien wykorzystać w odpowiedniej dla niego dziedzinie. Otaczający go ludzie są wymagający i zmienni, szczególnie w kręgu rodzinnym. Rozwój dość nieregularny. Bardzo mało stabilnych elementów.

Drugi i trzeci punkt zwrotny: niespodziewana poprawa sytuacji finansowej lub rozwoju kariery. Działalność doradcza lub specjalistyczna. Zarządzanie finansami wymaga dużej uwagi i ostrożności. Burzliwe, niestabilne życie uczuciowe. Precyzyjny dobór przyjaciół.

Czwarty punkt zwrotny: okoliczności sprzyjają rozwojowi kariery, wzbogaceniu się. Czasem zupełnie niespodziewana propozycja zmienia bieg wydarzeń. Należy zachować dużą ostrożność i rozsądek.

***W połączeniu z drogą życia 8***

Silna konfiguracja, trudna jednak do opanowania. Rozwój bardzo nieregularny, pełen niebezpiecznych skrajności. Należy zachować równowagę w sferze uczuciowej i unikać bójek.

Pierwszy punkt zwrotny: energia musi być dobrze wykorzystywana, aby nie doprowadzić do skrajnych, destabilizujących sytuacji. W bardzo surowym otoczeniu rodzinnym dziecko ma skłonności do buntu. Rozwój wymaga dużej pracowitości. Trudności w odnalezieniu równowagi.

Drugi i trzeci punkt zwrotny: życie zawodowe wymaga wysiłku i energii. Nagły przypływ gotówki może zostać zniweczony przez niekontrolowane wydatki lub złe gospodarowanie finansami. Niestabilność dominuje: trzeba wzmóc sprawiedliwość, ostrożność i rozsądek. Wszystko może być podane w wątpliwość. Trafna ocena sytuacji gwarantuje osiągnięcie równowagi.

Czwarty punkt zwrotny: bardzo aktywny, ambitny okres. Ogromną energię najlepiej wykorzystać w praktycznej działalności. Z wiekiem i doświadczeniem niestabilne i ryzykowne czynniki łagodnieją; nie lekceważyć zdrowia i higieny życia.

***W połączeniu z drogą życia 9***

Połączenie to umożliwia osiągnięcie sukcesu w interesach. Życie należy budować na solidnych podstawach. W sferze uczuciowej wibracja ta jest dość niepewna, chyba że podmiot potrafi zapanować nad emocjami.

Pierwszy punkt zwrotny: trudny emocjonalnie okres. Surowe wychowanie, pracowite początki. Podmiot ma jednak właściwe poczucie rzeczywistości i z dużą pewnością siebie przeprowadza swoją wolę. Już jako młody człowiek ma bogate doświadczenia.

Drugi i trzeci punkt zwrotny: okoliczności sprzyjają realizowaniu się przed publicznością, światem, zagranicą. Ułatwiony jest również sukces finansowy, sytuacja bliska ideałowi. Równowaga w prywatnym życiu zależna jest od wcześniejszych doświadczeń emocjonalnych; czasem kłopotliwe zobowiązania i przeszkody.

Czwarty punkt zwrotny: kontakty służbowe lub prywatne odgrywają ważną rolę w życiu podmiotu, który nie unika wysiłku. Zbiera plony swych wcześniejszych działań i poświęca dużo czasu i energii innym ludziom. Może również część dochodów przeznaczyć na rozwiązywanie licznych sporów i procesy.

## PUNKT ZWROTNY 9: UNIWERSUM, ŚWIAT, SPOŁECZEŃSTWO, SZEROKA DZIAŁALNOŚĆ

### *W połączeniu z drogą życia 1*

Konfiguracja pozwalająca wykazać się profesjonalizmem w komunikacji ze światem. Szeroka działalność zawodowa; ważne jest również zachowanie równowagi w sferze emocjonalnej i unikanie skrajności.

Pierwszy punkt zwrotny: dość trudny okres, punkty odniesienia nie są dobrze widoczne, a otoczenie nie jest pomocne; przytłaczająca wibracja, podmiot musi sam rozwijać swoje możliwości, co pozwoli mu iść dalej samodzielną, własną drogą życia. Czasem odkryje nowe powołanie, jednak trudno będzie podążać w wybranym kierunku. Napięcia emocjonalne.

Drugi i trzeci punkt zwrotny: bardzo różnorodne kontakty i rozwinięta sfera zawodowa. Więź ze światem, poświęcenie, uczynność. Sukces i szacunek otaczających ludzi wynagradzają wykonywaną pracę. Brak czasu dla bliskich.

Czwarty punkt zwrotny: okres obfitujący w kontakty z ludźmi i wiedzę. Działalność związana ze światem zewnętrznym, zamiłowanie do społecznych i socjalnych zawodów. Uczynność i szczodrość.

### *W połączeniu z drogą życia 2*

Połączenie tworzące duże napięcie w sferze emocjonalnej oraz ważne problemy towarzyszące realizowaniu się. Czasem sukces związany jest z grupą lub większą zbiorowością. Doskonale przebiega rozwój w dziedzinach wymagających inspiracji i kreatywności.

Pierwszy punkt zwrotny: dość napięta atmosfera, brak wyrozumiałości, a nawet przytłaczające otoczenie. Bardzo szybko podmiot pozna ludzkie cierpienie i konieczność niesienia pomocy. Trudności z podejmowaniem wyborów i błędy w sprawach emocjonalnych.

Drugi i trzeci punkt zwrotny: wzloty i upadki, bardzo intensywna kariera i bogate kontakty. We współpracy, partnerstwie i życiu prywatnym mogą wystąpić nieporozumienia i napięcia. Największymi atutami są cierpliwość, dyplomacja i rozsądek.

Czwarty punkt zwrotny: podmiot poświęca dużo czasu na poszerzanie wiedzy o najważniejszych prądach w historii cywilizacji. Życie uczuciowe może być uciążliwe, szczególnie jeśli pociąga za sobą wiele obowiązków.

### *W połączeniu z drogą życia 3*

Konfiguracja ta ma korzystny wpływ na komunikację i ekspresję. Realizacja planów dominuje nad wszystkim, co prowadzić może do problemów w życiu prywatnym.

Pierwszy punkt zwrotny: niestabilność w rodzinnym domu i geograficznym usytuowaniu. Podmiot może być nerwowy i niespokojny. Zamiłowanie do działań związanych z komunikacją i wymagających kreatywności, co pozwoli mu na optymalną realizację. W sferze emocjonalnej wzloty i upadki.

Drugi i trzeci punkt zwrotny: rozwój kontaktów ze społeczeństwem i ze światem. Rozszerzenie pola działania; czasem zmiana miejsca lub stylu życia. Sukces w przekazywaniu i komunikowaniu się. Życie prywatne bardzo stabilne i bogate, należy jednak poświęcać mu wystarczająco dużo czasu i energii oraz dążyć do osiągnięcia harmonii. W przeciwnym wypadku grożą liczne rozczarowania.

Czwarty punkt zwrotny: bardzo dobry okres dla nauki własnej, nauczania i podróży. Różnorodność zainteresowań i zajęć. Należy opanować nerwowość i napięcia emocjonalne; czasem burzliwy związek miłosny może zakłócić równowagę życiową.

### *W połączeniu z drogą życia 4*

Korzystna dla pracy i kariery wibracja; bardzo dobre wyniki, udana transakcja lub koniec niekorzystnej sytuacji. Należy być wyrozumiałym w sferze emocjonalnej i w związku.

Pierwszy punkt zwrotny: młodość w przytłaczającym i surowym rodzinnym otoczeniu, okres zbyt zimny emocjonalnie dla młodego człowieka. Trudności z wyborem własnej drogi i dość powolny rozwój. Wszystko przychodzi z trudem; działanie stanie się bardziej konstruktywne, jeśli podmiot zapanuje nad emocjami.

Drugi i trzeci punkt zwrotny: wiele pracy i wysiłku, obiecujące perspektywy. Decydujący koniec pewnej działalności, możliwość spełnienia w innej dziedzinie. Zmiany i nowe możliwości. Życie prywatne może być uciążliwe i przytłaczające.

Czwarty punkt zwrotny: okres obfitujący w zmiany i rozwój, co prowadzi do polepszenia sytuacji. Duże poświęcenie, tak w życiu zawodowym, jak i prywatnym, zostanie wynagrodzone i zapewni satysfakcję. Nie należy się przemęczać.

### *W połączeniu z drogą życia 5*

Wzbogacające zmiany zawodowe, interesujące i przyjemne podróże, odkrycia w każdej dziedzinie; w tym połączeniu niezbędna jest wolność. Życie uczuciowe jest na drugim planie, chyba że opiera się na wzajemnym zrozumieniu. Należy panować nad nadmierną nerwowością.

Pierwszy punkt zwrotny: podmiot dorasta w trudnym, nieprzychylnym środowisku. Bardzo trudno jest mu skoncentrować się na systematycznej nauce. Już jako młody człowiek marzy o podróżach i odkrywaniu świata. Potrzebuje przestrzeni, fascynacja jedną lub wieloma dziedzinami, również miłością.

Drugi i trzeci punkt zwrotny: w realizację należy włożyć dużą energię i wysiłek, co prowadzi do zaniedbania życia prywatnego. Podróże i dalekie misje. Brak samodzielności w kontaktach. Czasem trzeba pogodzić się z potrzebami innych ludzi i swoją ograniczoną wolnością, co nie jest łatwe.

Czwarty punkt zwrotny: okres spod znaku wolności i przestrzeni, również geograficznej. Nauka, podróże. Pasjonujące życie, jeśli tylko uniknie się rozkojarzenia i zbędnego wysiłku. Skłonność do skrajnego altruizmu.

### *W połączeniu z drogą życia 6*

Konfiguracja sukcesu, szczególnie w przedsięwzięciach artystycznych i kreatywnych, jak również w działalności usługowej i zleceniach. W sferze emocjonalnej jest to dość silna konfiguracja, należy jednak panować nad uczuciami.

Pierwszy punkt zwrotny: rodzina jest niezbędna do rozwoju, lecz czasem bywa przytłaczająca. Poczucie obowiązku i uczynności. Trudności z dokonywaniem wyborów, ale nie w wypadku powołania.

Drugi i trzeci punkt zwrotny: odpowiedzialność, rozkwit. Niezbędne jest poświęcenie i duży wysiłek. Aby zapewnić jakość i trwałość związku, trzeba życiu prywatnemu i rodzinnemu poświęcić więcej czasu i energii. Należy unikać gwałtownych wybuchów emocjonalnych.

Czwarty punkt zwrotny: wiele poświęcenia dla innych, działanie z pasją, lecz także możliwość dużego obciążenia obowiązkami, przede wszystkim humanitarnymi.

### *W połączeniu z drogą życia 7*

Konfiguracja ułatwiająca wszystko, co wiąże jest z wiedzą o człowieku, społeczeństwie, zagranicą. W innych dziedzinach sytuacja jest bardziej delikatna, głównie w sferze uczuciowej i związkach.

Pierwszy punkt zwrotny: podmiot rozwija się w środowisku o złych relacjach, gdzie brak komunikacji i cierpienia bliskich są codziennością. Rozwój jest powolny, a dotyczące przyszłości decyzje odpowiedzialne. Nauka przebiega doskonale.

Drugi i trzeci punkt zwrotny: pomyślny rozwój kariery. Z powodu braku czasu życie prywatne jest zaniedbywane. Niekiedy podmiot spełnia się w swojej dziedzinie, w swoim powołaniu, lub angażuje się w przedsięwzięcie ważne dla społeczeństwa. Zagraniczne podróże.

Czwarty punkt zwrotny: intensywna działalność w szczytnym celu. Poświęcenie, altruizm, podróże, nauka, uduchowienie.

Bardzo bogaty i obiecujący okres, w którym łatwo się przemęczyć.

### *W połączeniu z drogą życia 8*

Konfiguracja zapowiada sukces w interesach, osiągnięcie celu, rozwój międzynarodowych kontaktów, czasem również sprawy sporne. Aby uniknąć najtrudniejszych do pokonania przeszkód w sferze emocjonalnej, związki należy budować na wspólnych zainteresowaniach i wspólnym systemie wartości.

Pierwszy punkt zwrotny: intensywność uczuć i dążenie do wysokiej jakości. Otoczenie jest raczej surowe, podmiot musi więc, aby zrealizować wyznaczone cele, odnaleźć siłę w samym sobie. Osiąga bardzo dobre wyniki.

Drugi i trzeci punkt zwrotny: ambicje i rozwój pozwolą osiągnąć cel i punkt zwrotny. Sukces finansowy dzięki działalności związanej z zagranicą. Wiele szerokich kontaktów. Zaniedbanie bliskich, związków i siebie samego z powodu braku czasu.

Czwarty punkt zwrotny: podmiot dobrze odnajduje się w pracy zawodowej; rozwój planów związanych ze społeczeństwem lub zagranicą. Dobre wyniki pozwalają na punkt zwrotny. Nie należy poświęcać całej energii i czasu karierze, zaniedbując bliskich i siebie.

***W połączeniu z drogą życia 9***

Jest to trudna konfiguracja dla podmiotu działającego z czysto egoistycznych i materialnych pobudek. W przeciwnym wypadku wyniki będą zaskakująco dobre. Jest to bardzo emocjonalna wibracja, obfitująca w silne uczucia i bardzo kruche związki. Jeśli podmiot wysoko mierzy i jest w pewien sposób uduchowiony, połączenie tych liczb jest bardzo korzystne.

Pierwszy punkt zwrotny: bardzo trudna i przytłaczająca sytuacja, szczególnie dla podmiotu, który musi stawić czoło życiu, wykazując przy tym minimum poczucia rzeczywistości; idealizm i poszukiwanie absolutu nie idą w parze z materialnym sukcesem. Czasem kruche zdrowie fizyczne i psychiczne.

Drugi i trzeci punkt zwrotny: rozwój dążący do osiągnięcia ideału, realizacji powołania lub ambitnego celu. Jeśli aspiracje są możliwe do zrealizowania, mimo wielu przeszkód podmiot ma duże szanse odnieść sukces. Podróże, międzynarodowe kontakty. Czasem życie uczuciowe może być związane z zagranicą. Zmiana dotychczasowego miejsca zamieszkania. W przeciwnym wypadku konfiguracja ta może być bardzo uciążliwa.

Czwarty punkt zwrotny: okres obfitujący w obowiązki i odpowiedzialność, bez przesadnego poświęcenia. Wiedza, nauczanie, badania, podróże. Bogate kontakty, życzliwe otoczenie, działalność humanitarna. Czasem jest to trudny okres, należy czuwać nad psychiką. Wszystko zależy od wcześniejszych doświadczeń, w szczególności emocjonalnych.

## 6) WYZWANIA

***Wyzwanie 1***

- Przeszkody na drodze do spełnienia.
- Ugruntowanie osobowości, bez przesadnego uwodzenia lub agresywnego zachowania.

– Jeśli 1 jest brakującą liczbą, należy być bardziej zdeterminowanym i zaufać sobie.

*Wyzwanie 2*

– Niepowodzenia i rozczarowania we współpracy i w związkach.
– Należy uświadomić sobie, że „współpraca" nie jest „ przynależnością" ani „uległością".
– Opanowanie nadwrażliwości, podejrzliwości; nie należy wyolbrzymiać najdrobniejszych wydarzeń, odgrywać roli wiecznej ofiary, tym bardziej gdy 2 jest brakującą liczbą.
– Podmiot musi nauczyć się żyć i pracować, zachowując swoją niezależność lub nawet starać się dominować (w szczególności gdy 1 lub 11 jest silna). Niezbędna jest równowaga.

*Wyzwanie 3*

– Trudności z ekspresją, blokada kreatywności i komunikatywności.
– Jeśli 3 jest brakującą liczbą, należy poprawić relacje z grupą i aspołeczne zachowania. Nie należy obawiać się krytyki.
– Podmiot musi otworzyć się na innych ludzi, nauczyć się dzielić, szczerze wyrażać swoje zdanie (szczególnie gdy 3 jest liczbą dominującą).

*Wyzwanie 4*

– Trudności z organizacją w życiu prywatnym i w pracy, ponieważ hamują one rozwój.
– Należy uświadomić sobie, że aby osiągnąć sukces, dobrze radzić sobie w pracy, nie trzeba się przemęczać. Należy zwalczyć zniechęcenie, brak wytrwałości, lekkomyślność, nieład.
– 4 dominuje: skłonności do zamykania się w sobie, zawężania perspektyw i poddawania się rutynie. Jeśli 4 jest brakującą liczbą, należy zwiększyć skuteczność, organizację, staranność, nie zadręczając się przy tym.

*Wyzwanie 5*

– Ograniczenie rozwoju, wolności osobistej, zmian, ryzykowne sytuacje w różnych dziedzinach.

- Należy zaakceptować niezależność, tak własną, jak i drugiego człowieka, nie ograniczając wymiany poglądów z innymi ludźmi.
- Jeśli obecność 5 jest wyczuwalna, skłonność do przesady, niestabilności, uzależnień, impulsywności, a czasem również do rozwiązłego trybu życia. Jeśli 5 jest mało widoczna lub brakująca – zahamowania, bojaźliwość, strach przed zmianami i podróżami, nietolerancja.

***Wyzwanie 6***

- Przeszkody w życiu uczuciowym, przesadne poczucie winy, strach przed związkami. Zahamowany rozwój.
- Należy wzmocnić zaufanie, wyrozumiałość; unikać osądzania, dogmatyzmu, dążyć do harmonii w związku.
- Jeśli 6 jest silna i dominująca, skłonność do zbyt wysokich wymagań i nietolerancji. Może przytłaczać innych. Jeśli 6 jest brakującą liczbą, kłopoty w związkach, rodzinie i kontaktach towarzyskich. Brak punktu odniesienia.

***Wyzwanie 7***

- Kłopoty spowodowane zahamowaniami, perfekcjonizmem, bezkompromisowością. Utrata poczucia rzeczywistości.
- Należy pracować nad charakterem, skorzystać z pomocy i wzmocnić wiarę w siebie i w życie, lepiej rozwijać swoje zdolności.
- Jeśli 7 jest brakującą liczbą, należy pokonać sceptycyzm, strach, chęć izolowania się i zamknięcia w sobie. Jeśli zaś 7 jest bardzo silna, należy unikać manipulacji, oryginalności za wszelką cenę, uzależnień, jadowitego poczucia humoru, prowokacji, skrajnych ideologii.

***Wyzwanie 8***

- Nieprzyjemności, ciągłe przeszkody (spory, kłopoty prawne i finansowe), utrata posady.
- Należy wzmocnić przenikliwość, bezstronność, starać się być sprawiedliwym wobec innych ludzi i czujnym w kontaktach z otoczeniem. Zgubne jest zarabianie dla samego zarabiania. Zawsze trzeba panować nad pragnieniami i ambicjami.
- Jeśli 8 jest brakującą liczbą, należy bardziej niż zwykle skupić się na zaletach tej liczby (sprawiedliwość, przenikliwość, jasność i prawda).

Uczciwe interesy i dobre gospodarowanie. Jeśli 8 jest silna, ryzyko gwałtowności, niesprawiedliwości, nieczułości, przemocy, przesady i arogancji.

### 7) TABELA ZGODNOŚCI MIĘDZY LICZBAMI CYKLICZNYMI

| | 1 | 2 | 3 | 4 | 5 | 6 | 7 | 8 | 9 |
|---|---|---|---|---|---|---|---|---|---|
| **1** | – | – | + | – | + | – | + | + | + |
| **2** | – | – | + | SM – MAT + | – | SM + MAT – | SM – MAT + | + | – |
| **3** | + | + | – | – | + | + | = | = | + |
| **4** | – | SM – MAT + | – | – | – | + | + | – | – |
| **5** | + | – | + | – | + | – | + | + | + |
| **6** | + | SM + MAT – | + | + | – | – | = | SM – MAT + | + |
| **7** | – | SM – MAT + | = | + | + | = | = | – | – |
| **8** | – | + | = | – | – | SM – MAT + | – | – | – + |
| **9** | + | – | + | + | + | + | + | ± | – |

+ Zgodność; – Niezgodność; = Neutralne; ± Zgodność i niezgodność; SM Stosunki międzyludzkie i związki uczuciowe; MAT Konkretne, materialne aspekty, interesy, kariera.

Objaśnienie: tabelę należy czytać od lewej strony (pionowo), idąc w górę do prawej (poziomo). Cykle i punkty zwrotne zawsze porównujemy z drogą życia.

### 8) ESSENTIA (OD 1 DO 22)

***(Cykl + droga życia i cykl + punkt zwrotny + droga życia)***

**Essentia 1:** nie istnieje (minimum = 1 + 1 = 2)

**Essentia 2:** zależność od kontekstu. Należy poddać się biegowi wydarzeń. Dyplomacja i cierpliwość.

**Essentia 3:** korzystne plany i działania. Komunikatywność.

**Essentia 4:** bezpieczeństwo, pomoc. Twórczość i solidność. Owocna praca.

**Essentia 5:** rozwój, nauka i podróże. Ryzyko niestabilności. Należy korzystać z rad otoczenia.

**Essentia 6:** wybory. Ostrożność przy podejmowaniu zobowiązań. Główną rolę odgrywa miłość. Ryzyko złych decyzji.

**Essentia 7:** walka o pozycję i sukces.

**Essentia 8:** zachwiana równowaga, nieprzyjemności w pracy, spory materialne i prawne. Należy unikać wszelkiej niesprawiedliwości.

**Essentia 9:** czas i rozsądek są gwarancją sukcesu. Nauka, badania, nauczanie, zawody związane z dydaktyką.

**Essentia 10:** zmiany, podróże, ruchliwość. Rozwój odbywa się raczej bezpiecznie, mimo chwiejności i niestabilności.

**Essentia 11:** wszechobecna siła i energia, przeplatana wzlotami i upadkami. Inspiracja, sposobne sytuacje, spotkania, lecz również walka i kłopoty, którym trzeba stawić czoło. Sukces.

**Essentia 12:** czasem dotkliwe i pełne rozczarowania chwile: przeciwności losu, wyrzeczenia. Chwiejne zdrowie psychiczne i fizyczne. Jeśli włożony zostanie odpowiedni wysiłek, sytuacja polepszy się i równowaga zostanie odzyskana.

**Essentia 13:** aby osiągnąć lepszą równowagę, zmiany są konieczne. Dążąc do lepszego życia, trzeba zrezygnować z niektórych kontaktów i wyzbyć się zahamowań.

**Essentia 14:** należy wykazać powściągliwość i opanowanie, gdyż trudno czasem opanować sytuację, co pociąga za sobą dość uciążliwe skutki. Dynamiczny rozwój.

**Essentia 15:** w sferze uczuciowej i materialnej istnieje ryzyko nadmiernego i szkodliwego przywiązania. Każda fałszywa sytuacja kończy się klęską. Poza tym jest to szczęśliwy, bezpieczny i pełen nadziei okres.

**Essentia 16:** jeśli świadomość nie jest wystarczająco rozwinięta, przeciwności losu mogą mieć bardzo niszczycielskie skutki. Dobra znajomość własnego charakteru pozwala na pomyślny rozwój i szybki powrót do formy.

**Essentia 17:** ogólnie jest to bardzo dobry okres, w którym problemy i trudne sytuacje mają szczęśliwe zakończenie. Lecz trudności są zawsze obecne.

**Essentia 18:** okres, w którym możliwe są rozczarowania, szczególnie przy realizacji planów i w związkach. Niezbędna jest bystrość i czujność. Poza tym kreatywność, zagraniczne podróże.

**Essentia 19:** ogólnie bardzo dobra aura. Przy panowaniu nad sobą i swoimi ambicjami osiągnięcie sukcesu nie będzie problemem.

**Essentia 20:** życie niespodziewanie zmienia się. Dostosowując się do zmian, okres ten jest bardzo bezpieczny i przyjemny.

**Essentia 21:** bardzo dobry czas dla komunikacji i rozwiązywania problemów. Sukces, docenione zdolności. Unikać przesady i rozkojarzenia.

**Essentia 22:** czas tworzenia, pracy nad realizacją planów; kontakty ze społeczeństwem, pobyt za granicą. Pomyślne zwieńczenie kariery. W każdej dziedzinie brakuje jednak porządku i otwartości. Brak spójności, rozwiniętej świadomości i ambicji, co pociąga za sobą poważne konsekwencje, zahamowania, stagnację, a czasem również regres.

## 9) ZDROWIE

Liczby, odpowiadające im części ciała i ich choroby są w pewien sposób powiązane. Główne wyzwanie, droga życia, dzień urodzenia (sprowadzony do liczby od 1 do 9) i liczba realizacji zewnętrznej (spółgłoski) symbolizują kruchość zdrowia fizycznego. Najlepiej reprezentuje je wyzwanie.

***Liczba 1:*** głowa (migreny), oczy, gardło, nos, uszy, krąg szyjny.
***Liczba 2:*** nerki, pęcherz, nerwy (stres), prostata.
***Liczba 3:*** jama ustna, gardło, wątroba (zapalenie wątroby), krążenie, tarczyca.
***Liczba 4:*** kości, zęby, stawy, skóra, układ trawienny.
***Liczba 5:*** płuca, narządy rodne, nerwy (niepokój, lęki).
***Liczba 6:*** serce, kręgosłup, problemy ginekologiczne.
***Liczba 7:*** gruczoły, hormony. Przemęczenie, anemia. Czasem skłonności depresyjne.
***Liczba 8:*** żołądek, jelita, kończyny (często dolne), mięśnie. Gorączka, infekcje.
***Liczba 9:*** krew, umysł (problemy psychosomatyczne). Czasem uzależnienie od lekarstw, narkotyków. Infekcje.

## IV. PODSUMOWANIE INTERPRETACJI DLA MARGARET ROBINSON

| | | | | | | | | |
|---|---|---|---|---|---|---|---|---|
| M | A | R | G | A | R | E | T | (Liczba aktywna) |
| 4 | 1 | 9 | 7 | 1 | 9 | 5 | 2 | = 38 = 11 = **2** |
| R | O | B | I | N | S | O | N | (Liczba dziedziczna) |
| 9 | 6 | 2 | 9 | 5 | 1 | 6 | 5 | = 43 = **7** |

Liczba wyrazu = 38 + 43 = 81 = **9**

| | | | | | | | | | | | | | | | | |
|---|---|---|---|---|---|---|---|---|---|---|---|---|---|---|---|---|
| | | | | **= 7** | | | | | | | | **= 21 = 3** | | | | |
| | 1 | | | 1 | | 5 | | | 6 | | 9 | | | 6 | | = 7+ 21 = 28 = 10 = **1** |
| M | A | R | G | A | R | E | T | R | O | B | I | N | S | O | N | (Liczba duszy) |
| 4 | | 9 | 7 | | 9 | | 2 | 9 | | 2 | | 5 | 1 | | 5 | = 31 + 22 = 53 = **8** |
| | | **= 31 = 4** | | | | | | | | **= 22 = 4** | | | | | | (Liczba realizacji zewnętrznej) |

| Tabela składników | | | | | | Dzień urodzenia | Liczba rozwoju |
|---|---|---|---|---|---|---|---|
| 1 | 2 | 3 | 3 | 2 | 0 | | 1 |
| 4 | 5 | 6 | 1 | 3 | 2 | 12 | (19 = |
| 7 | 8 | 9 | 1 | 0 | 4 | | 1 + 9 = 10) |

**DŻ 6** (droga życia)

DŻ [6]

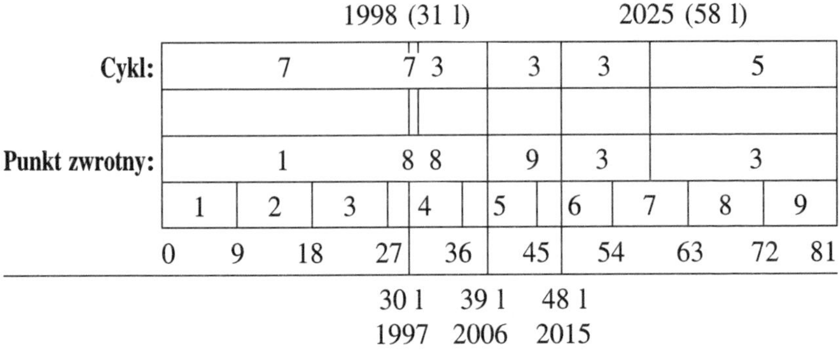

1998 (31 l) 2025 (58 l)

| | | | | | | | | | |
|---|---|---|---|---|---|---|---|---|---|
| **Cykl:** | 7 | | | 7 3 | 3 | 3 | | 5 | |
| **Punkt zwrotny:** | 1 | | | 8 8 | 9 | 3 | | 3 | |
| | 1 | 2 | 3 | 4 | 5 | 6 | 7 | 8 | 9 |
| 0 | 9 | 18 | 27 | 36 | 45 | 54 | 63 | 72 | 81 |

30 l 39 l 48 l

1997 2006 2015

**Punkty zwrotne**

7 – 3 – 5

1 8

9

3

**Wyzwania**

7 – 3 – 5

4 2

2

### 1. DROGA ŻYCIA 6 OD 33 (SUMA CYFR DATY URODZENIA)

Realizacja dzięki równowadze i poczuciu bezpieczeństwa.
Harmonia, korzenie, rodzina, miłość, uczynność.
Należy wywiązywać się z przyjętych obowiązków i odpowiedzialności.
Rozwój dzięki równowadze w sferze emocjonalnej.
Bardzo ważne decyzje do podjęcia, odpowiedzialność w życiu zawodowym.
Wyczucie w interesach, ognisko domowe, zamiłowanie do sztuki i estetyki.
Przesadny idealizm i perfekcjonizm, brak elastyczności i ustępliwości.
Błędne wybory, zaślepienie, upór.
(Patrz III, 1 z rozdziału Droga życia).

Podliczba 33: podliczby powyżej 22 znajdują się na końcu przewodnika.

### 2. DROGA ŻYCIA 6 W POŁĄCZENIU Z LICZBĄ WYRAZU 9

Zgodność: podmiot wypowiada się przez całą swoją życiową drogę w sposób zadowalający i harmonijny.

*Droga życia 6 w połączeniu z liczbą duszy 1*
Neutralne: nie ma większych przeszkód między wysokimi aspiracjami a drogą życia.

*Droga życia 6 w połączeniu z liczbą realizacji zewnętrznej 8*
Neutralne: droga do praktycznego spełnienia jest dość wygodna.

*Droga życia 6 nie mająca swojego odpowiednika w postaci brakującej liczby (składniki)*
(Patrz III, 3 z rozdziału Droga życia i II, 5 z rozdziału Osobowość).

### 3. CYKLE I PUNKTY ZWROTNE ŻYCIA

***Od narodzin do 30 roku życia (1967–1997):***
***Cykl 7 – punkt zwrotny 1***
*Cykl 7 (formujący):* poczucie samotności, marginalności. Zdolności intelektualne. Wrażliwość. Zamiłowanie do ucieczki (patrz III, 4 z rozdziału Droga życia).
Cykl 7 wobec drogi życia 6: neutralny (patrz III, 7 z rozdziału Droga życia).
Cykl 7 nie ma swojego odpowiednika między brakującymi liczbami (składniki).
Essentia cykl 7 – droga życia 6: 13. Aby osiągnąć lepszą równowagę, konieczne są zmiany.

*Pierwszy punkt zwrotny 1:* indywidualność.
W połączeniu z drogą życia 6: obowiązki, nieprzyjemności.
Staranna edukacja, trudności z niezależnością sądów (patrz III, 5 z rozdziału Droga życia).
Punkt zwrotny 1 wobec drogi życia 6: niezgodność (patrz III, 7 z rozdziału Droga życia).
Punkt zwrotny 1 nie odpowiada brakującej liczbie (składniki).

***Od 30 do 31 lat (1997–1998):***
***Cykl 7– punkt zwrotny 8***
*Cykl 7 (formujący):* jak wyżej.

*Drugi punkt zwrotny 8:* dążenie do równowagi w każdej dziedzinie.
W połączeniu z drogą życia 6: pomyślny rozwój kariery, wysokie

dochody. Sukces w pracy lub w interesach. Ryzyko z sferze emocjonalnej (patrz III, 5 z rozdziału Droga życia).

Punkt zwrotny 8 wobec drogi życia 6: zgodność w sferze materialnej, niezgodność w sferze emocjonalnej i kontaktach z otoczeniem (patrz III, 7 z rozdziału Droga życia).

Punkt zwrotny 8 odpowiada brakującej liczbie (składniki). Jeszcze bardziej wyczuwane jest zachwianie równowagi. Margeret będzie musiała trafnie i sprawiedliwie oceniać.

*Essentia punkt zwrotny 8 + cykl 7 + droga życia 6:* 21 (patrz III, 8 z rozdziału Droga życia). Korzystny okres komunikacji. Ułatwiony sukces. Należy unikać skrajności.

***Od 31 do 39 lat: 1998–2006:***
***Cykl 3 – punkt zwrotny 8***

*Cykl 3 (produktywny):* życie towarzyskie, sytuacje umożliwiające wyrażenie swojego zdania, komunikację. Kreatywność. Kontakty. Stabilne życie uczuciowe (patrz III, 4 z rozdziału Droga życia). Cykl 3 wobec drogi życia 6: zgodność (patrz III, 7 z rozdziału Droga życia).

Cykl 3 odpowiada brakującej liczbie (składniki). Margaret odczuje pewne ograniczenia ekspresji i będzie musiała wykazać przenikliwość w kontaktach z bliskimi. Powinna również uważać na rozkojarzenie.

*Essentia cykl 3 + droga życia 6:* 9. Sukces przychodzi powoli, niezbędny jest również rozsądek. Nauka, badania, nauczanie, zawody społeczne (III, 8 z rozdziału Droga życia).

*Drugi punkt zwrotny:* jak wyżej.

*Essentia punkt zwrotny 8 + cykl 3 + droga życia 6:* 17. Bezpieczny okres, szczęśliwe rozwiązanie problemów (III,8 z rozdziału Droga życia).

Objaśnienie: w tym przypadku badanie cykli i spełnień na drodze życiowej zatrzymujemy w roku 2006.

### 4. WYZWANIA NA DRODZE ŻYCIA

***Wyzwanie główne:*** 2. Nieprzyjemności i rozczarowania we współpracy, spółce, ewentualnie w związku. Należy opanować nadwrażliwość i podejrzliwość.

***Wyzwania mniejsze:*** od 4 do około 40 roku życia. Trudności z uporządkowaniem własnego życia, pracy. Ograniczenia w rozwoju.

2 po 40 roku życia: tak jak wyzwanie główne (patrz III, 6 z rozdziału Droga życia).

***Wyzwanie główne wraz z drogą życia 6:*** kłopoty w związkach, życiu rodzinnym i zawodowym.

Wyzwanie główne 2 nie odpowiada brakującej liczbie (składniki).

Wyzwanie główne 2 nie odpowiada ani drodze życia 6, ani żadnemu cyklowi, ani też punktom zwrotnym.

***Zdrowie***

Wyzwanie główne 2: nerki, pęcherz, nerwy (stres).

Droga życia 6: serce, kręgosłup, problemy ginekologiczne.

Dzień urodzenia 3 (od 12): jama ustna, gardło, wątroba.

Liczba realizacji zewnętrznej 8 (spółgłoski): żołądek, jelita, kończyny (patrz III, 9 z rozdziału Droga życia).

## KOMENTARZ

Na swojej drodze życiowej, obfitującej w liczne obowiązki, Margaret poszukuje harmonii w sferze uczuciowej, korzeni i bezpieczeństwa (Droga życia).

Droga życia pozwala jej na swobodną ekspresję i na pełne wykorzystanie kreatywności. Nic jej nie przeszkodzi w realizowaniu pragnień i aspiracji w sferze emocjonalnej, musi jednak wykazać elastyczność, zdolności adaptacyjne, wyrozumiałość i zrównoważenie w kontaktach z bliskimi. Ślepy idealizm i nieugięty charakter wpływają na złe wybory, które pociągają za sobą dość poważne konsekwencje (związek między drogą życia i osobowością).

Aż do 30 roku życia Margaret przebywa w przytłaczającym ją otoczeniu, gdzie czuje się samotna. Niedosyt uczuć wyrównuje dużą pilnością w nauce i skłonnością do ucieczek.

Silny charakter Margaret pozwala pokonać przeszkody, a nawet przeprowadzać swoją wolę (cykl 7 – punkt zwrotny 1 i zależności z drogą życia).

Czas między 30 a 31 rokiem życia jest punktem zwrotnym, Margaret rozpoczyna aktywny i konstruktywny okres. Jej życie staje się coraz bardziej zrównoważone. Spełnia się w swojej działalności, co polepsza jej sytuację materialną i finansową. Jej życie uczuciowe nie jest jednak równie udane, chyba że podejmie ryzyko związane z sytuacją, która dopiero okaże się bardzo pozytywna (cykl 7, punkt zwrotny 8, droga życia 6).

Między 31 a 39 rokiem życia Margaret poszerza kontakty i komunikację. Dzięki temu ustabilizuje się jej życie uczuciowe, może nawet założy rodzinę. Powinna jednak opanować niecierpliwość, gdyż rozwój wymaga czasu i rozsądku. Ogólnie jest to bezpieczny okres. Dążąc do zrealizowania planów, Margaret nie powinna oszczędzać sił ani też poddawać się przeciwnościom losu (punkt zwrotny 8, cykl 3, droga życia 6).

Główne wyzwanie dotyczy najbliższego otoczenia. Margaret utrzymuje doskonałe stosunki z otaczającym ją światem. Niebezpieczeństwo czyha w sferze emocjonalnej lub w partnerskim systemie pracy.

Dokonując wyborów i angażując się w rozmaite przedsięwzięcia, musi zachować dużą ostrożność. Porządek i organizacja – to podstawowe elementy, towarzyszące rozwojowi w pierwszym okresie jej życia.

Gdy zaś chodzi o zdrowie, to nadwrażliwa i nerwowa Margaret powinna czuwać nad nerkami i pęcherzem. Jeśli życie obarczy ją zbyt wieloma obowiązkami, będzie cierpieć na bóle pleców. Gdy emocje i uczucia intensywnie zakłócą jej spokój, możliwe są problemy ginekologiczne. Inne, drugoplanowe czynniki potwierdzają wyżej opisane elementy (wyzwania i droga życia).

### OBJAŚNIENIE

Porady znajdujące się na końcu rozdziału Osobowość odnoszą się również do rozdziału Droga życia.

Rozdział 3

# BADANIE ROCZNE

## I. WYLICZENIA

Numerologia umożliwia badanie roku kalendarzowego, od 1 stycznia do 31 grudnia.

Każdy rok reprezentowany jest przez liczbę jednocyfrową. I tak:

1998 = 1 + 9 + 9 + 8 = 27 = 2 + 7 = 9

1999 = 1 + 9 + 9 + 9 = 28 = 2 + 8 = 10 = 1 + 0 = 1

2000 = 2 + 0 + 0 + 0 = 2

2001 = 2 + 0 + 0 + 1 = 3

Każdy z nas poddany jest wpływowi liczby danego roku, jednak reagujemy na nią w bardzo różny sposób. Przyjrzymy się więc pojęciu „liczba roku osobistego" w związku z „liczbą roku uniwersalnego".

### 1) ROK OSOBISTY (RO)

Aby otrzymać liczbę roku osobistego, wystarczy dodać do liczby wybranego roku uniwersalnego dzień i miesiąc urodzenia.

Wyliczmy zatem rok osobisty Margaret Robinson, urodzonej 12 lipca 1967, badając rok 2002:

1 + 2 + 7 + 2 + 0 + 0 + 2 = 14 = 1 + 4 = 5

W roku 2002 liczbą roku osobistego dla Margaret Robinson jest 5.

Lata osobiste obowiązują od 1 stycznia do 31 grudnia; wyliczane są w przedziale od 1 do 9. Co 9 lat zmieniamy cykl osobisty i cykl uniwersalny.

I tak w 2002 r. rokiem uniwersalnym, czwartym z cyklu rozpoczętego w 1999 (1 + 9 + 9 + 9 = 28 =10 = 1 + 0 = 1), jest 4. Cykl ten osiągnie szczyt w roku 5 (2003), po czym zakończy się w roku 9 (2007). W 2008 r. (2 + 0 + 0 + 8 = 10 = 1) rozpocznie się kolejny cykl trwający 9 lat.

Sytuacja jest identyczna w wypadku roku osobistego: Margaret jest w roku 5, w 2002 r. w szczycie cyklu rozpoczętego w 1998 r. (12 + 7 +1998 = 37 = 10 = 1), który zakończy się w 2006 r., czyli roku 9 (12 + 7 + 2006 = 18 = 9). W 2007 r., będącym rokiem osobistym 1 i uniwersalnym 9, Margaret wejdzie w nowy cykl życiowy.

W przedziale od 1 do 9 łatwo rozpoznać, w którym roku danego cyklu właśnie się znajdujemy. Cechy charakterystyczne przyporządkowane każdej liczbie dostarczają cennych informacji dotyczących zalecanego postępowania w danym roku.

## 2) 12 SEKTORÓW ROKU (LUB DOMÓW ASTROLOGICZNYCH)

Niezależnie od roku osobistego trzeba pamiętać o 12 sektorach (domach astrologicznych), które dość trafnie określają rozmaite dziedziny życia.

Nietrudno odnaleźć te sektory: wystarczy skorzystać z tabeli łączącej wiek i dany odcinek.

Uwaga: rok osobisty trwa od 1 stycznia do 31 grudnia, lecz sektor tworzy okres od urodzin do urodzin. Rok osobisty składa się więc z dwóch sektorów: przed i po urodzinach.

**Tabela 12 sektorów pod względem wieku**

| SEKTORY | WIEK | | | | | | | |
|---|---|---|---|---|---|---|---|---|
| **I** | 0–1 | 12–13 | 24–25 | 36–37 | 48–49 | 60–61 | 72–73 | 84–85 |
| **XII** | 1–2 | 13–14 | 25–26 | 37–38 | 49–50 | 61–62 | 73–74 | 85–86 |
| **XI** | 2–3 | 14–15 | 26–27 | 38–39 | 50–51 | 62–63 | 74–75 | 86–87 |
| **X** | 3–4 | 15–16 | 27–28 | 39–40 | 51–52 | 63–64 | 75–76 | 87–88 |
| **IX** | 4–5 | 16–17 | 28–29 | 40–41 | 52–53 | 64–65 | 76–77 | 88–89 |
| **VIII** | 5–6 | 17–18 | 29–30 | 41–42 | 53–54 | 65–66 | 77–78 | 89–90 |
| **VII** | 6–7 | 18–19 | 30–31 | 42–43 | 54–55 | 66–67 | 78–79 | 90–91 |
| **VI** | 7–8 | 19–20 | 31–32 | 43–44 | 55–56 | 67–68 | 79–80 | 91–92 |
| **V** | 8–9 | 20–21 | 32–33 | 44–45 | 56–57 | 68–69 | 80–81 | 92–93 |
| **IV** | 9–10 | 21–22 | 33–34 | 45–46 | 57–58 | 69–70 | 81–82 | 93–94 |
| **III** | 10–11 | 22–23 | 34–35 | 46–47 | 58–59 | 70–71 | 82–83 | 94–95 |
| **II** | 11–12 | 23–24 | 35–36 | 47–48 | 59–60 | 71–72 | 83–84 | 95–96 |

W roku 2002, kiedy Margaret Robinson będzie miała 35 lat (12 lipca), jest więc pod wpływem 2 sektorów: III przed urodzinami i II po. Margaret jest w 5 roku osobistym.

### 3) CYKLE URODZINOWE

Towarzysząc domom astrologicznym od urodzin do urodzin, cykle urodzinowe służą za barometr roku osobistego i domu astrologicznego.

Aby odnaleźć cykl urodzinowy, dodajemy do roku uniwersalnego rok urodzenia.

Data urodzin zredukowana jest do dwuliczbowej liczby.

I tak, dla Margarte Robinson w 2002 r.:

2002 + 23 (1967 = 1 + 9 + 6 + 7 = 23) = 2025

Zwykle cykle urodzinowe znajdują się w przedziale od 19 do 29, lecz można również zredukować je do przedziału od 1 do 9, co ułatwi wyliczenia. W tradycyjnym systemie sumą 2005 byłoby 27:

2 0 2 5
2 0    2 5
20    7 (2+5)
20 + 7
= 27

Cykl urodzinowy 27 znajduje się w przedziale od 19 do 29.

Można go również wyliczać w taki sposób:

2 + 0 + 0 + 2 + 1 + 9 + 6 + 7 = 27 = 2 + 7 = 9

W naszym poradniku korzystać będziemy z cyklu urodzinowego w wersji od 19 do 29.

Dla Margaret Robinson w 2002 r., roku osobistym 5, cykl urodzinowy 26 jest przed urodzinami (w 2001, 34 lata) a cykl urodzinowy 27 jest po urodzinach (wyliczony na 2002 r.) – lub, w uproszczonej wersji, 8 przed a 9 po urodzinach.

### 4) CYKLE TRANZYTUJĄCYCH LITER

Istnieją cykle zbudowane na literach, 1 litera przypada na 1 rok, działa ona od urodzin do urodzin. Na każdą literę imienia i nazwiska przypada 1 rok; jeśli zajdzie taka potrzeba, przyporządkowujemy kolejne lata literom imienia i nazwiska, aż do uzyskania roku, który badamy.

I tak, dla naszego przykładu:
M = 67 A = 68 R = 69 G = 70 A = 71 R = 72 E = 73 T = 74
R = 75 O = 76 B = 77 I = 78 N = 79 S = 80 O = 81 N = 82
M = 83 A = 84 R = 85 G = 86 A = 87 R = 88 E = 89 T = 90
R = 91 O = 92 B = 93 I = 94 N = 95 S = 96 O = 97 N = 98
M = 99 A = 2000 R = 2001 G = 2002 A = 2003 R = 2004 E = 2005 T = 2006
R = 2007 O = 2008 B = 2009
Itd.

W 2002 r. tranzytującą literą z Margaret jest G. Znajduje się ona między 35. a 36. urodzinami. Przed urodzinami w 2002 r. była nią poprzednia litera, R.

W ten sposób wszystkie elementy, potrzebne do zbadania głównych aspektów roku osobistego przed i po urodzinach, zostały zebrane. Można również sprawdzić lata minione, aby lepiej zrozumieć różne fazy rozwoju i wydarzenia z przeszłości.

### 5) ROCZNY GRAFIK MARGARET ROBINSON NA 2002 ROK

RO 5 (Rok osobisty)

12/7 (35 lat)

↑

| | | |
|---|---|---|
| Sektor: | III | II |
| Cykl: | 26 | 27 |
| Litera: | R | G |

# II. TABLELE INTERPRETACJI

## 1) LATA OSOBISTE

### 1. Kluczowe słowo: Początek

Realizacja zawodowych lub materialnych planów.
Pomyślne rozwiązanie spraw osobistych.

***Działalność***
Wymagany duży wysiłek.
Należy polegać na samym sobie i mieć odwagę.
Awans.
Postępy w sprawach osobistych.
Budowanie przyszłości.
Rozwój.

***Zdrowie***
Przyrost sił witalnych.
Należy czuwać nad: głową, oczami, tętnicami, kręgami szyjnymi.

***Życie uczuciowe***
Ego może zostać ujarzmione, jeśli wykorzysta się wszystkie siły w tym kierunku.
Spotkanie, rok 2 potwierdzi, lub nie, rozwój wydarzeń.
Decyzje w kręgu rodzinnym, ewentualne obowiązki (ojciec, brat, syn).

***Życie zawodowe***
Rok sprzyjający nowym planom.
Kontrolowana realizacja planów.
Pomyślny rozwój sytuacji finansowej; polepszenie pomimo kłopotów.
Inwestycja lub zbieranie plonów.

## 2. Kluczowe słowo: Współpraca

Realizacja planów we dwójkę lub w grupie wymaga dobrej organizacji. Nie należy spieszyć się z podejmowaniem decyzji, lecz wszystko dobrze przemyśleć i przeanalizować, a także poradzić się kompetentnych doradców.

***Działalność***
Niespodziewane propozycje.
Nowe kontakty, cierpliwość.
Początek współpracy, założenie firmy.
Nowy interes, nowa współpraca.
Podanie obecnej sytuacji w wątpliwość; zachować ostrożność do czerwca.

*Zdrowie*
Chwiejna energia, ale ogólnie dobra równowaga.
Skłonność do nerwowości, szczególnie na początku roku.
Możliwe problemy z nerkami, żołądkiem.

*Życie uczuciowe*
Wzloty i upadki. Niepewna i niejasna sytuacja.
Rozwiązanie problemów z początku roku.
Napięta sytuacja, jeśli początek roku był spokojny.
Spotkanie/związek lub rozstanie/rozwód, w zależności od sytuacji z ubiegłego roku.
Obowiązki rodzinne: matka, siostra, córka.

*Życie zawodowe*
Zalecana ostrożność przy inwestycjach i kupnie.
Pomyślny rozwój: pomoc, wsparcie, kredyty, kapitał.
Czasem problemy i decyzje w sprawie bliskich osób.
Bardzo ważny okres między czerwcem a sierpniem.

## 3. Kluczowe słowo: Komunikacja

Okres korzystny dla tworzenia, ekspresji i nawiązywania nowych znajomości. Wystarczy unikać rozkojarzenia i kontrolować wydatki.

*Działalność*
Zawody związane z komunikacją, wydawnictwo, handel.
Przy dobrej organizacji i gospodarowaniu pomyślny rozwój.
Okoliczności sprzyjają nowościom.

*Zdrowie*
Dość dobre siły witalne, trzeba jednak zachować umiar, szczególnie w odżywianiu: zagrożenie otyłością. Należy czuwać nad jamą ustną, gardłem, wątrobą (woreczkiem żółciowym) i krążeniem krwi.

*Życie uczuciowe*
Jeśli poprzedni rok obfitował w problemy, poprawa sytuacji.
Nowa równowaga emocjonalna: spotkanie lub związek.

Ciąża, narodziny, nowe ognisko domowe.
Kontakt z dziećmi lub młodzieżą.

***Życie zawodowe***
Ostrożnie: grożą nierozsądne wydatki lub ryzykowne inwestycje, pożyczki udzielane „przyjaciołom".
Niespodziewany przypływ gotówki: nowe interesy, premie, gry.
Rozrywka, odpoczynek, wakacje.

## 4. Kluczowe słowo: Praca

Życie zawodowe to dominujący aspekt. Cały wysiłek trzeba włożyć w osiągnięcie równowagi materialnej. Opóźnienia i przeszkody do przewidzenia.

***Działalność***
Intensywna praca; czasem nie przynosi natychmiastowych efektów.
Niezbędny porządek i organizacja.
Przeciwności, opóźnienia, szczególnie w pierwszej połowie roku. Korzystne decyzje od czerwca.
Trzeba uzbroić się w cierpliwość i niczego nie lekceważyć.

***Zdrowie***
Umiarkowana energia z tendencją spadkową. Nie należy lekceważyć zdrowia i w razie konieczności udać się do lekarza. Uwaga na kości, zęby, stawy; reumatyzm.

***Życie uczuciowe***
Domowe lub zawodowe problemy mogą zakłócić spokój rodzinny.
Czasem emocjonalne zahamowania lub samotność.
Zmartwienie z powodu należącej do rodziny, starszej osoby.
Plany, niespodzianki, głównie od listopada.

***Życie zawodowe***
Należy poświęcić wiele uwagi interesom i finansom.
Przychody dzięki pracy, wysiłkowi, spuściźnie.
Trzeba unikać niepewnych inwestycji i zbędnych wydatków.
Czasem zachwiania: straty, spłaty, opóźnienia.

## 5. Kluczowe słowo: Zmiana

Nowe perspektywy i pragnienie zmiany. Nowe kontakty, podróże, okoliczności sprzyjające przeniesieniu i modyfikacjom. Należy unikać impulsywności i skrajności w każdej dziedzinie.

*Działalność*
Kontynuacja obecnej sytuacji lub całkowita jej zmiana.
Dobry rok dla interesów, handlu, kontaktów i awansu.
Ryzyko niestabilnego kontraktu: należy uważać na papiery i podpisy.

*Zdrowie*
Dobra energia, ale też skłonność do przeceniania własnych możliwości. Uwaga na oddech, nerwy (niepokój), narządy rodne. Możliwe drobne wypadki przy przemieszczaniu się lub uprawianiu sportu.

*Życie uczuciowe*
Liczne spotkania, bez gwarancji stabilności.
Wzloty i upadki, często spowodowane nadmiernymi obowiązkami.
Niektóre pary odczuwają potrzebę wolności.
Dzieci i młodzież skupiają na sobie uwagę rodziny.

*Życie zawodowe*
Jeśli poprzedni rok był konstruktywny, kontynuacja pomyślnego rozwoju.
Polepszenie sytuacji finansowej. Czasem szczęście w grach i spekulacjach.
Podróże, przeprowadzki, poszukiwanie swojego miejsca.
Oferty i korzystne relacje z dalszym otoczeniem.
Ryzyko spowodowane nieostrożnością, rozkojarzeniem, nieuwagą.

## 6. Kluczowe słowo: Adaptacja

Czasem uciążliwe obowiązki, możliwość podjęcia ważnych decyzji dotyczących przyszłości. Życie uczuciowe jest w tym roku bardzo ważne dla równowagi.

*Działalność*
Nie należy zaczynać czegoś, czego nie jest się w stanie zakończyć.
Awans lub ważna dla kariery decyzja.
Czasem zmiana miejsca pracy.

*Zdrowie*
Zrównoważona energia, lecz przejściowe przemęczenie.
W tym ważnym dla zdrowia roku zalecane są dokładne badania.
Uwaga na plecy, serce, kobiece narządy płciowe.

*Życie uczuciowe*
Przełomowy rok w sferze uczuciowej, przyjaźni, miłości, rodzinie.
Spotkanie/związek lub rozstanie/rozwód.
Zmiana miejsca zamieszkania.
Obowiązki rodzinne; konieczne porozumienie.

*Życie zawodowe*
Ogólnie bezpieczny okres.
Polepszenie warunków życia, komfort.
Inwestycja w nieruchomości, przeprowadzka.
Kupno, sprzedaż, wznowienie działalności handlowej.

## 7. Kluczowe słowo: Refleksyjność

Życie płynie dość spokojnie; potrzeba odizolowania się. Zalecane jest dokładne podsumowanie obecnej sytuacji. Zarówno w interesach, jak i w życiu uczuciowym należy zachować dużą ostrożność.

*Działalność*
Ryzykowne jest rozpoczynanie nowej działalności, interesów, planów (chyba że jest to intelektualne, kreatywne, naukowe lub humanistyczne zajęcie).
W obecnej sytuacji wskazany jest rozsądek i poszukiwanie perspektyw na przyszłość.
Należy unikać czysto finansowych lub materialnych interesów.
Czasem zupełnie nieoczekiwana i gwałtowna zmiana w karierze.

*Zdrowie*
Spadek energii, słabe zdrowie. Uwaga na samopoczucie, nerwy, gruczoły i hormony. Skłonność do depresji.

*Życie uczuciowe*
Spokojny rok przy możliwie dobrej sytuacji.
Jeśli nie, trudne do przejścia kryzysy; niejasności i komplikacje.

Czasem wielka samotność.
Poprawa w koleżeńskich kontaktach, prawdziwa przyjaźń.
Niespodziewane wydarzenia w kręgu rodzinnym; należy poświęcić dużą uwagę starszym osobom.

*Życie zawodowe*
Trudne do wykonania plany. Niepewność lub brak środków.
Ryzykowne wszelkie inwestycje i spekulacje.
Nieoczekiwane przychody i podróże. Odpoczynek na łonie natury lub w nadmorskim kurorcie.

## 8. Kluczowe słowo: Spełnienie

Udany rok, pozwalający na realizację planów: dominować będą życie zawodowe i kwestie materialne. Niezbędna odwaga i trafna ocena sytuacji, pomagające osiągnąć dobre wyniki.

*Działalność*
Rok sprzyjający ambicji i polepszeniu sytuacji.
Energia do pracy, interesów.
Kontakty zawodowe pomogą się rozwinąć.
Jeśli na początku roku wynikły jakieś problemy, mogą doprowadzić do zakończenia działalności, czasem nawet bankructwa, lub sporów wymagających rozstrzygnięcia.

*Zdrowie*
Przeważnie duża energia, upadki i wzloty, zazwyczaj krótkotrwałe. Słabe punkty: żołądek, jelita, mięśnie, kończyny dolne. Możliwe gorączki i infekcje. Należy przemieszczać się z dużą ostrożnością.

*Życie uczuciowe*
Nie jest to dominująca sfera, choć możliwy jest związek lub spotkanie, które pozwoli osiągnąć bezpieczną sytuację materialną.
Czasem spory, rozwód i towarzysząca mu walka.
Rodzinny spadek lub podział spuścizny.

*Życie zawodowe*
W pierwszej połowie trzeba być szczególnie ostrożnym, w przeciwnym razie mogą nastąpić poważne, negatywne konsekwencje.

Powodzenie w finansach i pomyślność w interesach, jeśli sytuacja zostanie trafnie wykorzystana.
Inwestycje, lokaty.
Czasem straty i uciążliwe konsekwencje z przeszłości.

## 9. Kluczowe słowo: Podsumowanie

Jest to ostatni w tym dziewięcioletnim cyklu rok. Należy dokończyć bieżące sprawy i przed rozpoczęciem następnego cyklu wyzwolić się z niechcianych elementów.

***Działalność***
Trzeba zakończyć bieżącą pracę oraz pomyśleć o przyszłej zmianie.
Czasem brak panowania nad sytuacją lub spadek pozycji zawodowej, szczególnie jeśli poprzedni rok był bardzo trudny.
Ułatwione kontakty z zagranicą. Służbowe podróże.
Zwykle od października interesujący rozwój sytuacji.

***Zdrowie***
Rok oczyszczenia, który często wywołuje uczucie znudzenia i wewnętrznego zmęczenia. Uwaga na infekcje, rozregulowanie, upadki, wysypki skórne, ewentualne depresje.

***Życie uczuciowe***
Napięcie emocjonalne, wybuchy, wymagające opanowania nostalgiczne myśli.
W wypadku nieporozumień i sporów na początku roku możliwe zerwanie, czasem zresztą korzystne.
Spotkanie z zagranicą.
Czasem zupełnie nowy, bardzo namiętny związek.
Obowiązki rodzinne, związane, być może, ze starszą osobą.

***Życie zawodowe***
Duża ostrożność w interesach: nie należy zaczynać niczego nowego.
Pomyślne zakończenie starych lub bieżących interesów.
Pozytywny wynik negocjacji z zagranicą lub z większą zbiorowością.
Budujące podróże.
Należy dostosować firmę do nowych wyzwań.

## 2) 12 SEKTORÓW (LUB DOMÓW ASTROLOGICZNYCH)

**Sektor I:** Domena własnego „ja”
Podejmowanie osobistych decyzji, spotkania, sprzyjające okoliczności.
Nowy zwrot w działalność; czasem popularność.
Kreatywna energia. Dynamiczne działania.

**Sektor II:** Domena zarobków i dóbr materialnych
Materialne rezultaty osobistego działania.
Przychody i wydatki: praca i zarządzanie finansami.
Interesy. Powolność. Czasem napięcie.

**Sektor III:** Domena komunikacji i osób bliskich
Twórczość, krótkie podróże, przeprowadzka, przeniesienia, zmiana miejsca zamieszkania.
Twórczość literacka, edukacja, szkolnictwo, wytwory umysłu.
Bracia, siostry, sąsiedzi, koledzy.
Czasem kontrakt, porozumienie.

**Sektor IV:** Domena domu i własnych korzeni
Ognisko domowe, rodzice, spuścizna, dobra materialne, ziemia, dom.
Transakcje handlowe lub w firmie. Możliwa zmiana miejsca pracy.
Przeprowadzka, transakcja nieruchomościami.

**Sektor V:** Domena spekulacji i odpoczynku
Związek, uczucie, przyjemności, gry i rozrywki.
Pragnienia, hobby, kreatywność, sport.
Dzieci: ich wykształcenie, zdrowie. Ciąża.
Podróż, delegacja, praca.

**Sektor VI:** Domena obowiązków i pracy
Działalność zawodowa: obowiązki i przeciwności. Kontakty służbowe. Zarządzanie pracownikami. Administracja. Postępowanie egzekucyjne.
Obowiązki rodzinne, zwierzęta domowe.
Zdrowie i choroby: leczenie, dieta, bilans.

**Sektor VII:** Domena kontraktów i partnerstwa
Życiowi partnerzy. Współpracownicy lub przeciwnicy. Spory.
Kontrakty. Proces. Konkurencja.
Małżeństwo. Zobowiązania.

**Sektor VIII:** Domena transformacji

Sprawy finansowe: obieg kapitałów, partnerstwo finansowe, wspólne dobra materialne, giełda, przychody z banku lub z ubezpieczenia.

Spadek, darowizna, podział, donacja, posag, renta.

Niespodziewane zyski, czasem też gwałtowne straty.

Problemy zdrowotne: badania, dieta, sport. Czasem ryzyko wypadku lub zabiegu chirurgicznego.

Śmierć lub narodziny. Seksualność.

**Sektor IX:** Domena rozwoju i zagranicy

Podróże ciała i umysłu. (Ucieczki zarówno realne, jak i duchowe). Pomysły. Nowe koncepcje.

Studia, egzaminy. Religia, filozofia, polityka.

Zagranica: dalekie transakcje, podróże, życie międzynarodowe.

Spory administracyjne lub sądowe, kontrowersyjne sprawy, proces.

Rodzina. Narodziny w bliskim otoczeniu.

**Sektor X:** Domena kariery i statusu społecznego

Zawód, rozwój kariery, status społeczny, reputacja, władza. Zawodowe ambicje lub ideały do zrealizowania.

Związek z administracją lub rządem: kontrakt państwowy lub z dużym przedsiębiorstwem, korzystne przedsięwzięcia, kłopoty prawne, kontrola podatkowa.

Zmiana sytuacji, nowe ukierunkowanie, czasem również w życiu prywatnym.

**Sektor XI:** Domena kontaktów i planów

Kontakty z otoczeniem, przyjaciele, komunikacja, stowarzyszenia, kluby, i rozrywki.

Plany, nadzieje, pomoc lub wsparcie pozwolą się szybciej rozwinąć. Postęp, sukces finansowy, coraz większa klientela.

Życie uczuciowe, dzieci lub młodzież.

**Sektor XII:** Domena ryzyka w życiu i podsumowanie

Strachliwość, stres, niejasne sytuacje, hipokryzja otoczenia, nieprzyjemne niespodzianki.

Rozczarowanie związkiem, problemy z bliskimi.

Należy czuwać nad zdrowiem psychicznym: czasem niezbędny odpoczynek, hospitalizacja.

Zablokowana sytuacja, problemy z administracją, ryzyko finansowe.

Ciężka próba, która pozwoli przejść samego siebie i w końcu zrealizować się. Nic nie przychodzi łatwo.

Czasem korzystny kontrakt publiczny lub z organizacją rządową.

### 3) CYKLE URODZINOWE (LUB CYKLE PRZEJŚCIOWE)

**Cykl 1 (19–28):** rozwój, postęp w realizacji planów; trzeba przede wszystkim liczyć na samego siebie.

Sukces i szczęście w życiu prywatnym z 19.

Walka i konkurencja z 28, które przeważnie kończą się wygraną.

Czasem spory i procesy. Nie wolno zbyt szybko obdarzać zaufaniem.

**Cykl 2 (20–29):** Kontakty, związek, stowarzyszenie. Obecna sytuacja ponownie wymaga przeanalizowana.

Korzystne zmiany, dobry okres dla interesów, nowa działalność. Spotkanie miłosne. Przyjaźń.

Czasem zerwanie związku lub przerwanie działalności (20).

Ryzykowny okres: iluzje lub upór. Rozczarowanie bliską osobą. Niedotrzymane słowo lub obietnica.

Inspiracja i duża energia. Sukces związany ze społeczeństwem, światem (29).

**Cykl 3 (21):** Komunikacja. Ekspresja. Plany. Podróże.

Cykl stworzony do przedsięwzięć i inwestycji. Postęp w karierze i finansach. Miłość i przyjaźń.

Należy unikać rozkojarzenia, napięć nerwowych i emocjonalnych.

**Cykl 4 (22):** Praca. Interesy. Życie zawodowe. Ograniczenia. Trzeba czuwać nad porządkiem i organizacją.

Należy przedsięwziąć środki ostrożności i przed wykonaniem jakiegokolwiek ruchu wysłuchać kompetentnych rad. Niewiele sprzyjających sytuacji. Oczekiwanie.

Uczucie bezsilności. Trzeba czuwać nad życiem rodzinnym i prywatnym. Kontakty zagraniczne.

**Cykl 5 (23):** Zmiany, przeniesienia, podróże, nowości.

Sukces w interesach, w pracy. Sprawy sądowe, prawne, notarialne.

Ryzyko spowodowane niestałością, nerwowością, nieostrożnością.

**Cykl 6 (24):** Równowaga. Rodzina. Życie uczuciowe. Dom. Bezpieczeństwo. Stabilizacja.

Obowiązki. Planowanie małżeństwa, wspólnego życia.

Interesy. Transakcje nieruchomościami. Rodzina: pomoc bliskiej osobie, być może w chorobie.

Czasem jest to cykl zerwania lub rozwodu.

**Cykl 7 (25):** Refleksyjność. Nauka. Zdystansowanie. Oczekiwanie. Podsumowanie.

Trzeba czuwać nad interesami. Opóźnienia. Bezwład. Odizolowanie.

Kłopoty w życiu prywatnym.

Czasem kruche zdrowie, skłonność do depresji. Niezbędny odpoczynek. Trzeba poświęcić dużo czasu na wyszukanie nowych opcji.

**Cykl 8 (26):** Interesy. Kariera. Finanse. Spełnienie.

Dochody odgrywają dużą rolę. Dobre wyniki. Rozwój.

Jeśli przewidywania były trafne, a zachowanie bezstronne, sukces jest gwarantowany. Uwaga na nowe inwestycje.

Kupno, sprzedaż.

Ryzykowne związki, możliwe straty z winy drugiego człowieka. Aby uniknąć kłopotów zdrowotnych, wystarczy prowadzić higieniczny tryb życia.

**Cykl 9 (27):** Emocje. Przełom. Komunikacja ze światem.

Światowe życie. Kontakt z publicznością.

Napięcia w życiu prywatnym; możliwe rozczarowania. Zakończenie związku lub sytuacji.

Ostrożność przy podpisywaniu papierów.

Bogate wnętrze, kreatywność, wyobraźnia.

Altruizm, poświęcenie dające zadowalające wyniki.

### 4) CYKLE TRANZYTUJĄCYCH LITER

**A:** Spełnienie. Nowe początki. Przebudzenie. Tworzenie. Korzystne zmiany. Podróż. Zmiana miejsca zamieszkania. Czasem spotkanie miłosne.

**B:** Wahanie. Wątpliwości. Dwoistość. Emocje. Zalecane są cierpliwość i dyplomacja. Miłosna historia. Stowarzyszenie. Czasem wątpliwości, zerwanie.

**C:** Komunikatywność. Aktywność. Podróże. Intuicja. Udane życie uczuciowe. Czasem narodziny dziecka.

**D:** Praca. Interesy. Konkretne i konstruktywne plany. Trwały wysiłek. Trzeba być bardziej zorganizowanym. Uwaga na zdrowie. Obowiązki rodzinne lub domowe.

**E:** Energia. Lepsze zdrowie. Zmiana trybu życia. Przeprowadzka. Duże zarobki, lecz złe zarządzanie finansami. Spotkanie, związek. Rozwój raczej niestabilny.

**F:** Obowiązki. Wybór lub zaangażowanie się w działalność społeczną. Małżeństwo, udany związek. Czasem problemy w związku. Przeszkody rodzinne. Pomyślne interesy w nieruchomościach.

**G:** Korzystne warunki dla rozwoju: kariera, interesy, finanse. Kontakty z ludźmi i związki uczuciowe pełne napięcia. Znaczne oddziaływanie na świat zewnętrzny.

**H:** Życie praktyczne, pomyślna sytuacja finansowa przy dobrej ocenie sytuacji. Realizacja ambicji. Awans, zwiększenie wpływów. Możliwy kontakt z wymiarem sprawiedliwości. Wzloty i upadki w życiu uczuciowym.

**I:** Należy panować nad emocjami. Huśtawka nastrojów. Presja i obowiązki. Cykl korzystny dla zagranicznych podróży, badań. Opóźnienia finansowe, uciążliwe i burzliwe życie prywatne. Trzeba uważać na zdrowie.

**J:** Rozwój, postęp (czasem zupełnie niespodziewany). Nowe obowiązki. Ryzyko sporów, nieporozumień, problemów sądowych.

**K:** Ambitna realizacja planów. Dominacja. Sukces. Solidne oparcie, lecz ryzyko spowodowane arogancją, niecierpliwością, nieostrożnością. Napięcie w życiu prywatnym.

**L:** Kreatywność, pomysły, poświęcenie. Korzystne kontakty. Podróże. Przy podejmowaniu decyzji i zobowiązań przenikliwość jest niezbędna. Jeśli nie, grożą liczne wyrzeczenia, dotkliwe doświadczenia, rozczarowanie.

**M:** Realizacja planów. Czasem nieoczekiwana zmiana w poszukiwaniu nowej równowagi. Zmiany z życiu zawodowym. Małżeństwo. Nieład i kłopoty finansowe, jeśli brakuje solidnych podstaw.

**N:** Przystosowanie do nowych warunków. Przeprowadzka. Podróże. Ryzyko niestabilności w związku i uczuciach. Uwaga na nieostrożność, niecierpliwość, straty finansowe, kłopoty zdrowotne.

**O:** Cykl uczuciowy (małżeństwo, rodzina). Nadmierne przywiązanie, zbyt dużo związków uczuciowych i niezależności materialnej może tylko zaszkodzić. Komfort, bezpieczeństwo.

**P:** Rozsądek i analiza. Powolność. Nowe poglądy, które mogą wywołać ogromne poruszenie. Skryte, spokojne i subtelne życie uczuciowe. Uwaga na zdrowie. Możliwe depresje.

**Q:** Produktywność. Zarobki. Duża energia. Polepszenie warunków życiowych. Pomyślne rozwiązanie problemów. Dobra równowaga w każdej dziedzinie.

**R:** Życie światowe, kontakty zagraniczne lub związane ze społeczeństwem lub publicznością. Podróże. Zagranica. Zwiększone pole działania i jeszcze większe obowiązki. Napięcie emocjonalne i kłopoty finansowe. Kruche zdrowie.

**S:** Niespodziewane zmiany. Polepszenie sytuacji. Przejściowe kłopoty w sferze uczuciowej. Spełnienie.

**T:** Cykl korzystnie wpływający na porozumienie i równowagę. Jest to bardzo dobra litera dla związku. Czasem kłopoty z podejmowaniem decyzji. W niektórych wypadkach konieczne rozpoczęcie wszystkiego od zera.

**U:** Duża aktywność; decydująca zmiana. Solidna pozycja i ukierunkowanie w stronę społeczeństwa, świata. Podróże. Plany i cele powinny być spójne i uporządkowane, w przeciwnym razie istnieje ryzyko klęski i niepowodzeń. Bezpieczna sfera emocjonalna. Dobry rok na wyprawy i poszukiwanie przygód.

**V:** Szeroka działalność; decydujący zwrot. Solidna pozycja i skierowanie się w stronę społeczeństwa i świata. Podróże. Plany i cele powinny być spójne i uporządkowane, w przeciwnym wypadku możliwe klęski i niepowodzenia. Bezpieczeństwo w sferze emocjonalnej. Dobry rok na wyprawy w poszukiwaniu przygód.

**W:** Wzloty i upadki; należy unikać dalekosiężnych planów. Przeniesienie. Zmiana. Chwiejne i niestabilne związki uczuciowe. Udane podróże.

**X:** Pieniądze i interesy. Nieregularny rozwój, w skrajnych kierunkach. Przełomowy i decydujący o przyszłości okres. Gwałtowna miłość lub przytłaczający związek. Obowiązki rodzinne. Konieczna adaptacja i duży wysiłek w celu osiągnięcia równowagi.

**Y:** Trudności z podejmowaniem decyzji; zalecana dogłębna analiza, wysłuchanie swojego wewnętrznego głosu, brak pośpiechu. Korzystny cykl dla nauki, badań lub rozwoju w bardzo specyficznej dziedzinie. Podróże. Okres odpoczynku, urlop, staże. Należy podsumować życie prywatne. Uwaga na samopoczucie.

**Z:** Konkretne punkt zwrotny, rozwój, sukces. Wpływ na otoczenie. Należy unikać aroganckiego i skrajnego zachowania. Ryzykowne sytuacje, spowodowane nieostrożnością i uporem. Życie uczuciowe w tym cyklu praktycznie nie istnieje.

### 5) ROCZNY GRAFIK MARGARET ROBINSON NA 2002 ROK

RO 5 (Rok osobisty)

12/7 (35 lat)

↑

| | | |
|---|---|---|
| Sektor: | III | II |
| Cykl: | 26 | 27 |
| Litera: | R | G |

**1.** Rok osobisty: 5 (2002 = rok uniwersalny 4).
Kluczowe słowo: zmiana (patrz III, 1 z rozdziału Badanie roczne).

**2.** Sektor III przed urodzinami: małe podróże, przeniesienie, twórczość, bracia, siostry, bliscy, kontrakt.
Sektor II po urodzinach: dochody, zyski, zarządzanie finansami, interesy (patrz I, 2 z rozdziału Badanie roczne).

**3.** Cykl urodzinowy 8 (26) przed urodzinami: interesy, kariera, dochody.
Cykl urodzinowy 9 (27) po urodzinach: emocje, kryzys, komunikacja z otoczeniem (patrz II, 3 z rozdziału Badanie roczne).

**4.** Litera przed urodzinami: R. Kontakty zewnętrzne (społeczeństwo, publiczność, podróże, zagranica). Rozszerzenie pola działania. Napięcie w sferze emocjonalnej, kłopoty finansowe. Uwaga na zdrowie.
Litera po urodzinach: G. Korzystna litera dla rozwoju kariery i finansów. Napięte stosunki z otoczeniem, lecz otwartość na świat zewnętrzny (patrz I, 4 z rozdziału Badanie roczne).

**KOMENTARZ**

Margaret wkracza w zupełnie nowy okres życia: rok zapowiada liczne zmiany, nowe kontakty; ogólne wrażenie wolności i większej swobody (rok 5).

Rok 2002 stwarza okazję do zmiany stylu życia lub awansu (rok uniwersalny 4 wraz z rokiem osobistym 5).

Przed swoimi urodzinami w lipcu Margaret przechodzi okres wzmożonej aktywności w działalności zawodowej i kwestiach finansowych. Ma różnorodne kontakty, co dostarcza jej uczucia dużej satysfakcji. Z łatwością idzie do przodu. Ma możliwość podróżowania dla przyjemności lub w nadziei na zmianę własnego życia. Może również spróbować szczęścia w grach (sektor III, cykl 26 i litera R).

Po swoich urodzinach powinna być jeszcze bardziej ostrożna, gdyż rozpoczyna nowy okres w działalności, musi również uważnie negocjować finansową stronę nowej posady. W rzeczywistości zmiany w tym okresie nie gwarantują stabilności. Poza tym, Margaret może przechodzić wewnętrzny kryzys i mieć kłopoty emocjonalne lub uczuciowe. Zagraniczna podróż i poznanie nowych ludzi w pewien sposób pomoże jej poradzić sobie z tymi problemami. Zalecane jest opanowanie nerwowości. Jeśli życie zawodowe pozwoli jej na kontakty z zagranicą i szerszą komunikację, może to mieć dobry wpływ na przyszłe działania (sektor II, cykl 29 i litera G).

Podsumowując: przy większej otwartości na świat, zachowując ostrożność i angażując się w działalność dającą gwarancję na przyszłość, Margaret ma duże szanse na pełne wykorzystanie przełomowego momentu jej życia.

Rozdział 4

# BADANIE MIESIĄCA I DNIA

## I. WYLICZENIA

Dzięki liczbie określającej rok osobisty możliwe jest bliższe poznanie danego miesiąca lub dnia.

Przydatne jest więc zrobienie planu najkorzystniejszych działań (lub swojej równowagi) na podstawie dni i miesięcy zanalizowanych w tym rozdziale.

### 1) MIESIĄC OSOBISTY (MO)

Miesiąc osobisty otrzymujemy przez zsumowanie danego roku osobistego i liczby określającej miesiąc pod względem jego rangi w roku kalendarzowym.

W kolejności: styczeń = 1, luty = 2 itd. Październik, dziesiąty miesiąc roku, jest 10 = 1 (jak styczeń), listopad jest 11 = 2 (jak luty) i grudzień jest 12 = 3 (jak marzec).

W 2002 r. Margaret Robinson jest w roku osobistym 5. Oto jej miesiące osobiste dla tego roku:

STYCZEŃ: 1 + 5 (rok osobisty) = 6
LUTY: 2 + 5 = 7
MARZEC: 3 + 5 = 8
KWIECIEŃ: 4 + 5 = 9
MAJ: 5 + 5 = 10 = 1
CZERWIEC: 6 + 5 = 11 = 2

LIPIEC: 7 + 5 = 12 = 3
SIERPIEŃ: 8 + 5 = 13 = 4
WRZESIEŃ: 9 + 5 = 14 =5
PAŹDZIERNIK: 10 = 1 + 5 = 6
LISTOPAD: 11 = 2 + 5 = 7
GRUDZIEŃ: 12 = 3 + 5 = 8

## 2) ZALEŻNOŚCI MIĘDZY MIESIĄCEM OSOBISTYM A ROKIEM OSOBISTYM

Aby wzbogacić interpretację miesiąca osobistego, należy wziąć pod uwagę rok osobisty. Możemy to zrobić na dwa sposoby:

### A. ZWIĄZEK: MIESIĄC/ROK OSOBISTY

Przykład: Margaret w styczniu 2002 r. Styczeń jest miesiącem osobistym 6.
Porównajmy więc miesiąc osobisty 6 z rokiem osobistym 5.
Tabela wskazuje: 5–6 = niezgodność.

### B. ESSENTIA: MIESIĄC/ROK OSOBISTY

Sumujemy miesiąc osobisty i rok osobisty, aby otrzymać essentia, która w tym wypadku będzie zawarta w przedziale od 1 do 9.
W styczniu 2002 r. essentia dla Margaret jest:
6 (miesiąc osobisty) + 5 (rok osobisty) = 11 = 2

## 3) DZIEŃ OSOBISTY (DO)

Dzień osobisty otrzymujemy, dodając do miesiąca osobistego dzień kalendarzowy, uproszczony w przedziale od 1 do 9.
I tak, 24 stycznia 2002 dla Margaret Robinson sprowadza się do:
6 (dzień 24 = 2 + 4 = 6) + 6 (styczeń, miesiąc osobisty) = 12 = 3.
24 stycznia Margaret Robinson jest w roku 5, miesiącu 6 i dniu 3.

Objaśnienie: w rozdziale 8 (Praktyczne tabele) znajduje się zbiór tablic, który pozwala bez wyliczeń odnaleźć rok, miesiąc i dzień osobisty.

## 4) ZALEŻNOŚCI MIĘDZY DNIEM OSOBISTYM, MIESIĄCEM OSOBISTYM I ROKIEM OSOBISTYM

Aby interpretacja dnia osobistego była bardziej precyzyjna, należy zwrócić uwagę na wpływ miesiąca osobistego i (częściowo) roku osobistego. Oba sposoby są równie często używane:

### A. ZWIĄZEK MIĘDZY DNIEM/MIESIĄCEM OSOBISTYM

Powróćmy do 24 stycznia 2002 r.: dla Margaret Robinson dzień osobisty 6: 3-6 = niezgodność. (według tabeli zależności między liczbami)

### B. ESSENTIA: DZIEŃ/MIESIĄC/ROK OSOBISTY

Aby otrzymać essentia, wystarczy zsumować dzień, miesiąc i rok. I tak, dla Margaret 24 stycznia daje:

Dzień 3 + Miesiąc 6 + Rok 5 = 14 = 5

24 stycznia 2002 Margaret jest w dniu 3, miesiącu w roku 5, essentia dnia jest 5.

Essentia jest liczbą uproszczoną w przedziale od 1 do 9, ale możliwe jest również przeanalizowanie podliczby (od 1 do 22), która odpowiada ogólnemu znaczeniu tarota.

- Styczeń 2002 dla Margaret Robinson:
  RO = 5
  Styczeń = 1 (pierwszy miesiąc w roku)
  MO = 6
  RO + MO = E (E=essentia) = 11 = 2 + 1 = 3
- 24 stycznia 2002 r. dla Margaret Robinson:
  Dzień = 24 = 2 + 4 = 6
  MO+DO (= dzień osobisty) = 12 = 2 + 1 = 3
  RO = 5 (2002 dla Margaret) + MO = 3 (24 stycznia dla Margaret)
  = E = =14 = 1+4 = 5 (essentia rok, miesiąc, dzień).

# II. TABLELE INTERPRETACJI

## 1) MIESIĄCE OSOBISTE

### • MIESIĄC 1

Decydujący miesiąc: autorskie inicjatywy.
Trzeba działać i narzucać swoją wolę, licząc przede wszystkim na samego siebie.

***Działalność***
Początek lub postęp.
Wsparcie wpływowych osób.
Trzeba sprecyzować pomysły i koncepcje.
Tworzyć, pisać, redagować.

***Zdrowie***
Przyrost energii.
Początek kuracji lub diety.

***Życie uczuciowe***
Skłonność do izolowania się.
Należy opanować egocentryzm i dominację.
Czasem początek znajomości.

***Sprawy materialne***
Zdecydować się i podjąć pewne kroki.
Podanie o kredyt, konsultacja z bankierem.
Porozumienie w sprawach podatków i administracji.
Nowe postanowienia.

### • MIESIĄC 2

Miesiąc oczekiwania: odczekać i dostosować się do nowej sytuacji. W żadnym wypadku nie można przyspieszać biegu wydarzeń, gdyż zagraża to pomyślnemu rozwojowi sytuacji.

***Działalność***
Otwartość na nowe kontakty i korzystne sytuacje, jednak nie należy angażować się zbyt szybko.

Podróże i przemieszczanie się.
Propozycja współpracy.
Niezbędne będą dyplomacja i cierpliwość. (Opóźnienia i przeszkody).

***Zdrowie***
Chwiejna, niestabilna energia. Trzeba opanować nerwowość.

***Życie uczuciowe***
Duże znaczenie związków: przyjaźń, uczucia.
Czasem zupełnie nieoczekiwane kryzysy.
Spotkanie, plany.
Ewentualna opieka nad bliskimi.

***Sprawy materialne***
Zły moment na rozpoczynanie nowych interesów, spekulacje.
W razie prawnych sporów trzeba dążyć do ugody.
Zalecany odpoczynek i rozrywka.

• MIESIĄC 3

Miesiąc otwartości i kontaktów: ekspresja i komunikatywność pozwolą iść naprzód, pokonując ewentualne przeszkody.

***Działalność***
Spotkania, rozmowy telefoniczne, przyciąganie znaczących osób.
Pomyślny rozwój w pracy i poszerzanie horyzontów.
Należy zakończyć spory.
Podejmowanie kolejnych kroków i przemieszczanie się.
Rozwój komunikacji wewnątrz firmy, organizowanie spotkań.

***Zdrowie***
Dobra energia, trzeba jednak unikać przesady.
Konieczny odpoczynek.

***Życie uczuciowe***
Okoliczności sprzyjają spotkaniom.
Nowe przyjaźnie.
Przyjazne otoczenie.
Kontakt z dziećmi lub młodzieżą.
Rozwiązanie drobnych problemów.

***Sprawy materialne***
Korzystne transakcje. Zyski.
Wakacje, rozrywki, odpoczynek.
Pomyślny rozwój prawnej lub administracyjnej sprawy.
Należy unikać rozkojarzenia, impulsywności i podejrzanych interesów.

### • MIESIĄC 4

Mniejszy wysiłek. Ogrom pracy i nadzór nad organizacją. Pewne ograniczenia.

***Działalność***
Powolność, przeszkody, rozwój w sposobie organizacji, awans: nowa oferta pracy.
W obecnej działalności nie wolno zdać się na przypadek.
Należy uregulować bieżące sprawy, zanim przystąpi się do myślenia o przyszłości.
Cierpliwie czekać i niczego nie przyspieszać; w najlepszym wypadku odzyskanie równowagi.

***Zdrowie***
Spadek energii. Zmęczenie lub nadmiar obowiązków. Trzeba czuwać nad formą.

***Życie uczuciowe***
Należy dbać o równowagę i unikać zbyt nagłych inicjatyw.
Obowiązki i ciężar ogniska domowego lub rodziny (rodzice, starsze osoby).
Budowa lub urządzanie własnego domu.

***Sprawy materialne***
Kryzysy i kłopoty domowe. Nieoczekiwane wydarzenia.
Należy unikać handlowych lub finansowych zależności. Ostrożność przede wszystkim.
W każdej dziedzinie zalecany jest wybór bezpieczeństwa i rozsądku.

### • MIESIĄC 5

Miesiąc zmian lub dynamicznego rozwoju: trzeba zaakceptować nowości, niespodziewane plany lub nagłe spotkanie, podróż, zakłócenie ustalonego porządku.

***Działalność***
Tworzenie planów, nowe pomysły, analiza sytuacji lub problemu.
Negocjować, wymieniać, czynnie angażować się.
Kontakty publiczne, prasa.
Podróże, podejmowanie ryzykownych kroków.
Zmiana pracy lub ukierunkowania.

***Zdrowie***
Optymalna energia, lecz również duża nerwowość. Uwaga na lekkomyślność prowadzącą czasem do wypadków.

***Życie uczuciowe***
Kontakty i spotkania z młodymi ludźmi.
Nowe znajomości dość niestabilne.
Opieka nad dziećmi, ewentualnie nastolatkami z kręgu rodzinnego.
Rozwój, jeśli sytuacja została wcześniej przygotowana.

***Sprawy materialne***
Podróże naukowe lub dla przyjemności.
Należy unikać transakcji nieruchomościami.
Ryzyko nieuczciwości, straty, kradzież spowodowana lekkomyślnością.
Zmiana trybu życia.

**• MIESIĄC 6**

Miesiąc uczuć i obowiązków: wyrozumiałość i uprzejmość wobec otoczenia. Harmonia i bezpieczeństwo.

***Działalność***
Ustabilizowanie sytuacji i dążenie do harmonii w stosunkach z otoczeniem.
Realizowanie się w działalności związanej z usługami, doradztwem, nieruchomościami, dekoratorstwem, sztuką i estetyką.
Wypełnianie obowiązków i porządkowanie spraw.
Decyzje do podjęcia.

***Zdrowie***
Energia dość zrównoważona, lecz przejściowo możliwe drobne zmartwienia. Być może konieczne będą badania.

***Życie uczuciowe***
Przeważnie korzystny obrót spraw w rodzinie.
Związek, małżeństwo, zmiana miejsca zamieszkania.
W razie kłótni – kryzys, rozstanie.
Obowiązki rodzinne.

***Sprawy materialne***
Korzystne transakcje w nieruchomościach (dom).
Zmiany, nowe wyposażenie domu lub miejsca pracy.
Kupno lub sprzedaż dzieł sztuki.
Należy unikać dalekich podróży w celach rekreacyjnych.

### • MIESIĄC 7

Miesiąc refleksji i nauki: ogólne zwolnienie tempa, sprzyjające podsumowaniu, nabraniu dystansu i zastanowieniu nad nowymi możliwościami.

***Działalność***
Oczekiwanie i opóźnienia terminów.
Analiza sytuacji i korzystny plan.
Staże, kursy. Naukowe podróże.
Należy unikać czysto materialnych inicjatyw, jednak nie omijać korzystnych okoliczności.

***Zdrowie***
Zmienna, niestabilna energia. Uwaga na samopoczucie, trzeba się odprężyć lub rozpocząć stosowną kurację albo terapię.

***Życie uczuciowe***
Spokój lub utajony, cichy kryzys.
Duże znaczenie przyjaźni.
Oryginalne i zaskakujące spotkania.

***Sprawy materialne***
Ucieczka, podróż, nowe zainteresowania, lektura.
Należy unikać ryzyka spekulacji, istnieje też możliwość niespodziewanych zysków.

### • MIESIĄC 8

Miesiąc bardzo aktywny; aby osiągnąć sukces, konieczny jest duży wysiłek oraz zdrowy rozsądek.

***Działalność***

Należy działać szybko i intensywnie.

Pokonać przeszkody, szanując przeciwnika i będąc sprawiedliwym.

Cele do zrealizowania: praca jest uprzywilejowana.

***Zdrowie***

Duża energia, lekkomyślność i upór tworzą ryzykowne sytuacje.

***Życie uczuciowe***

Należy dążyć do harmonii wewnętrznej i rodzinnej oraz wyjaśnić wszelkie nieporozumienia.

Spotkanie dające poczucie bezpieczeństwa.

Rodzinne interesy (handel, spuścizna, spadek), które prowadzą czasem do sporów.

Dominuje życie uczuciowe.

***Sprawy materialne***

Bardzo ważne interesy finansowe.

Transakcje z bankami, ubezpieczycielami; należy samemu czuwać nad zarządzaniem.

Ryzyko procesów, sporów sądowych.

Zyski i straty, w zależności od sytuacji.

### • MIESIĄC 9

Miesiąc sukcesu lub rozwoju: sprawy bieżące muszą zostać zakończone, jest to ważny dla komunikacji okres. Niewiele czasu pozostaje na myślenie o sobie.

***Działalność***

Zakończyć to, co zostało rozpoczęte, lecz nie zaczynać niczego zupełnie nowego.

Kontakty z grupą, społeczeństwem, publicznością.

Życie światowe lub zagraniczne podróże.

Intensywna działalność, czasem nawet przytłaczająca.

***Zdrowie***

Zmienna energia, czasem o zupełnie skrajnych wahaniach.

Napięcie wewnętrzne, nadmierny niepokój, kryzysowe reakcje.

***Życie uczuciowe***

Trudna do kontrolowania uczuciowość, napięcia w związku, zwątpienie i rozterki.

Gwałtowne strony miłości (spotkanie).

W niektórych wypadkach sfera uczuciowa dotyczy zagranicy.

Ewentualne obowiązki rodzinne (starsze osoby).

***Sprawy materialne***

Oczekiwany interes dochodzi do skutku.

Możliwe zakończenie uciążliwego postępowania.

Należy unikać nowego sporu i nowych materialnych planów.

Korzystne podróże i plany związane z zagranicą.

## 2) DNI OSOBISTE

**Dzień 1:** należy podejmować inicjatywy i polegać tylko na samym sobie. Decydować i zabiegać o niezbędne poparcie. Działać ze świadomością, że sytuacja jest opanowana.

**Dzień 2:** należy przystosować się i czekać. Nie nalegać. Działać w ramach tego, co już mamy. Współpracować; spotkania, zwierzenia bliskich. Kontakt uczuciowy. W razie sporu dyplomacja i elastyczność.

**Dzień 3:** należy organizować spotkania, przemieszczać się, kontaktować, negocjować, analizować problemy. Przebywanie z przyjaciółmi, relaks. Unikać rozkojarzenia.

**Dzień 4:** należy pracować, odświeżyć interesy i uporządkować rozliczenia. Unikać ryzyka w finansach. Negocjować w sprawie interesu lub pracy. Trzymać formę. Możliwe opóźnienia lub nieszczęśliwy traf.

**Dzień 5:** należy podróżować, zmieniać przyzwyczajenia, odpoczywać. Prowadzić transakcje, przekonywać. Pisać. Szczęście w spekulacjach i grach. Niespodziewane spotkanie, przyjacielskie lub miłosne. Unikać niedbalstwa i impulsywności.

**Dzień 6:** należy dążyć do porozumienia i ugody, wywiązać się z obowiązków zawodowych i rodzinnych. Dobry dzień dla związku, nieruchomości, publicznego wystąpienia, sztuki. Unikać konfliktów i wyjazdów.

**Dzień 7:** należy przerwać pracę; czas na naukę, pisanie, medytację, odprężenie i odpoczynek. Korzystne podróże, niespodziewane sposobności, nowe wiadomości. Możliwa blokada lub opóźnienie w interesach. Należy czuwać nad samopoczuciem i zdrowiem.

**Dzień 8:** należy uregulować interesy, finanse i zająć się pracą w terenie. Dobra energia, ale trzeba unikać arogancji i niesprawiedliwości. Ostrożność nie zaszkodzi, są jednak realne możliwości. Wiele przeszkód.

**Dzień 9:** należy podsumować lub zakończyć zlecenie. Nie rozpoczynać niczego nowego. Komunikacja ze światem, zagranicą, podróże. Staże, nauczanie, animacja łączą. Możliwe napięcie w życiu prywatnym, trzeba okazać wiele uwagi komuś bliskiemu.

### 3) TABELA ZGODNOŚCI MIĘDZY LICZBAMI (MIESIĄC OSOBISTY Z ROKIEM OSOBISTYM, DZIEŃ OSOBISTY Z MIESIĄCEM OSOBISTYM)

| | 1 | 2 | 3 | 4 | 5 | 6 | 7 | 8 | 9 |
|---|---|---|---|---|---|---|---|---|---|
| 1 | – | – | + | – | + | – | + | + | + |
| 2 | – | – | + | SM –<br>MAT + | – | SM +<br>MAT – | SM –<br>MAT + | + | – |
| 3 | + | + | – | – | + | + | = | = | + |
| 4 | – | SM –<br>MAT + | – | – | – | + | + | – | – |
| 5 | + | – | + | – | + | – | + | + | + |
| 6 | + | SM +<br>MAT – | + | + | – | – | = | SM –<br>MAT + | + |
| 7 | – | SM –<br>MAT + | = | + | + | = | = | – | – |
| 8 | – | + | = | – | – | SM –<br>MAT + | – | – | –<br>+ |
| 9 | + | – | + | + | + | + | + | ± | – |

+ Zgodność; – Niezgodność; = Neutralne; ± Zgodność i niezgodność; SM Stosunki międzyludzkie i związki uczuciowe; MAT Konkretne, materialne aspekty, interesy, kariera

## 4) ESSENTIA (OD 1 DO 22): MIESIĄC OSOBISTY + ROK OSOBISTY, DZIEŃ OSOBISTY + MIESIĄC OSOBISTY + ROK OSOBISTY

**1:** nie istnieje, gdyż najmniejszy wynik wynosi 2.

**2:** okoliczności o wszystkim przesądzają. Dostosować się do sytuacji. Emocje.

**3:** przyjemna atmosfera. Kontakty. Rozwój społeczny lub uczuciowy.

**4:** tworzenie. Praca. Efekt materialny. Ograniczenia i restrykcje.

**5:** mobilność i nowości. Zmiany. Podróż. Ryzyko niestabilności.

**6:** obowiązki. Życie uczuciowe. Związek lub niezgoda. Wybory do dokonania.

**7:** spowolnienie. Refleksje. Niespodziewane wydarzenia.

**8:** sprawy finansowe. Waleczność. Procesy i spory sądowe.

**9:** podsumowanie lub zakończenie. Nauka. Termin. Trzeba kontrolować emocje.

**10:** pomimo wzlotów i upadków raczej pomyślny rozwój.

**11:** napięcie, ryzyko dwoistości. Energia umożliwiająca pokonanie przeszkody i narzucenie własnej woli.

**12:** przeszkody, ryzyko błędnej oceny sytuacji. Aby wybrnąć z kłopotu i iść dalej, niezbędna jest przenikliwość.

**13:** ponowna równowaga i solidna konstrukcja wymagają radykalnej zmiany.

**14:** zajmujące znajomości, zmiany. Zalecana jest adaptacja i opanowanie.

**15:** przytłaczające związki lub uzależniająca sytuacja materialna. Należy unikać przesady. Dobra sytuacja materialna, gwałtowne uczucia.

**16:** ryzyko brutalnego zakończenia sytuacji; straty lub porażki. Należy dobrze zastanowić się nad sobą i swoimi możliwościami, a nie angażować się lub obrażać pod wpływem impulsu.

**17:** korzystny rozwój w każdej dziedzinie.

**18:** ryzyko rozczarowania, szczególnie w życiu prywatnym lub w najbliższym otoczeniu. Zalecana przenikliwość i realistyczne podejście. Poza tym, interesujące perspektywy w komunikacji ze światem; kreatywność.

**19:** postęp w realizacji planów i uznanie. Uwaga na pychę i egoizm.

**20:** korzystny rozwój, postęp dzięki zmianie poglądów i zaakceptowaniu nowych pomysłów.

**21:** jasne perspektywy, dobre wyniki. Sukces w komunikacji. Otwartość na świat.

**22:** blokada lub ryzyko zagubienia. Jeśli sytuacja jest spójna, zostanie opanowana.

- Styczeń 2002 r. dla Margaret Robinson
  RO + miesiąc = 5 + 1 = 6 (MO)
  RO + MO = 11 = 2 (essentia miesięczna)
- 24 stycznia 2002 r. dla Margaret Robinson
  MO + dzień 24. = 6 + 6 = 12 = 1 + 2 = 3 (DO)
  RO + MO + DO = 14 = 5 (essentia dzienna)

KOMENTARZ

**Styczeń 2002 r.**

Margaret jest w miesiącu pełnym obowiązków i konieczności dostosowania się do otoczenia. Na początku tego roku jej rodzina i życie prywatne silnie oddziałują na równowagę (miesiąc osobisty 6).

Margaret odczuwa pewne ograniczenia swojej wolności osobistej: musi wywiązywać się z obowiązków i czuwać nad harmonią życia prywatnego i zawodowego. (Zależność: miesiąc 6/rok osobisty 5).

Ogólna aura potwierdza konieczność dostosowania się (essentia 2), należy też unikać napięcia i przeciwieństw. Jej energia powinna umożliwić przeprowadzenie własnej woli, nie prowokując przy tym sporów (essentia 2 od 11).

**24 stycznia 2002 r.**

Jest to doskonały dzień dla komunikacji, kontaktów z przyjaciółmi, odpoczynku (dzień osobisty 3). Margaret odczuwać będzie harmonię w tym przyjemnym i ciepłym kontekście (związek: dzień 3/miesiąc osobisty 6).

Ogólna atmosfera tego dnia sprzyja nowościom; Margaret z pewnością będzie musiała podróżować i odbędzie ciekawe spotkania (essentia 5). Musi opanować się i tego dnia poskromić niektóre swoje cechy; jeśli nie, będzie tego żałować, gdyż przeważnie efekty byłyby pozytywne (essentia 5 od 14).

Rozdział 5

# DODATKOWE CYKLE ROCZNE I MIESIĘCZNE

A oto elementy uzupełniające analizę miesięczną i roczną. Są one wynikiem ostatnich badań wykonanych w tej dziedzinie.

## I. URODZINOWE PODCYKLE: CYKLE TONY

Roczne badanie odnosi się do cykli urodzinowych, trwających od urodzin do urodzin. Każdy cykl roczny zawiera 3 podcykle, z których każdy trwa 4 miesiące (3 × 4 = 12 miesięcy). Jak je wyliczyć?

### PIERWSZY PODCYKL (4 MIESIĄCE OD URODZIN)

Suma danego roku i wieku danej osoby (w razie wątpliwości co do końcowych wyliczeń należy sprawdzić II, 3 z rozdziału Badania roczne).

W przyjętym przez nas przykładzie: 2002 + 35 (w 2002 r. Margaret Robinson ma 35 lat) = 2037.

I tak:

20 37
20 10
20 1 = 21

Podcykl 21 dotyczy okresu od 12 lipca 2002 r. do 12 listopada 2002 r. (4 miesiące po urodzinach).

### DRUGI PODCYKL (4 KOLEJNE MIESIĄCE)

Korzystamy z daty urodzenia. W tym wypadku:
3 (od 12) + 7 + 23 (1967 sprowadzone do dwuliczbowej postaci) = 33

Do badania sumujemy otrzymany wynik i wybrany rok badania:
33 + 2002 = 2035
I tak:
20 35
20 8 = 28

Podcykl 28 dotyczy okresu od 12 listopada 2002 r. do 12 marca 2003 r. Trzeba pamiętać, że podcykle trwają od urodzin do urodzin, czyli w tym wypadku od 12 lipca 2002 r. do 12 lipca 2003 r. Aby otrzymać podcykle przed urodzinami 12 lipca 2002 r., trzeba skorzystać z wyliczeń dla 2001 r. (od 12 lipca 2001 r. do 12 lipca 2002 r.).

### TRZECI PODCYKL (4 OSTATNIE MIESIĄCE PRZED NASTĘPNYMI URODZINAMI)

Suma klucza narodzin i wybranego do badania roku. Klucz, określony przez dzień i miesiąc narodzin, znajduje się w poniższej tabeli.
Kluczem dla 12 lipca będzie więc 9.
2002 + 9 = 2011
I tak:
20 11
20 2 = 22

Trzeci i ostatni podcykl 22 dotyczy okresu od 12 marca 2003 r. do 12 lipca 2003 r.

Od 12 marca 2002 r. do 12 lipca 2002 r. podcyklem jest 21.

Interpretacja podcykli zależy od cyklu urodzinowego w sposób następujący: po pierwsze, odnajdujemy roczny cykl urodzinowy. Dla Margaret głównym cyklem urodzinowym, biorąc pod uwagę jej urodziny w 2002 r., jest 27. Mamy więc 27, dla którego pierwszym podcyklem, dotyczącym pierwszych 4 miesięcy po urodzinach, jest 21. Otrzymujemy w ten sposób 27–21. Zamieniamy 27–21 na 9 (27) i 3 (21) i otrzymujemy cykl ton 9–3.

Następnie dla kolejnych 4 miesięcy, od 12 listopada 2002 r. do 12 marca 2003 r., mamy zależność 27–28 (główny cykl 27 i drugi podcykl 28). Drugim podcyklem, działającym od 12/11/2002 r. do 12/3/2003 r., jest: 27–28 = 9–1.

Trzecim i ostatnim cyklem tonem, działającym od 12/3/2003 r. do 12/7/2003 r., jest: 27–22 = 9–4.

W 2002 r. cyklem działającym do 12/3/2002 r. jest 26–27, czyli 8–9.

W 2002 r. cyklem działającym od 23/3/2002 r. do 12/7/2002 r. jest 26–21, czyli 8–3.

Wystarczy już tylko skorzystać z tablic interpretacji.

Rok 2002 i cykle tony dla Margaret Robinson wyglądają następująco:

RO 5
12/7

| 26 – III – R | | | 27 – II – G | | |
|---|---|---|---|---|---|
| 8–9 | 12/3 | 8–3 | 9–3 | 12/11 | 9–1 |

**Tabela kluczy**
(do wyliczenia trzeciego podcyklu)

| STYCZEŃ | | LUTY | | MARZEC | | KWIECIEŃ | | MAJ | | CZERWIEC | |
|---|---|---|---|---|---|---|---|---|---|---|---|
| 1 | 9 | 1 | 10 | 1 | 5 | 1 | 6 | 1 | 6 | 1 | 7 |
| 2 | 8 | 2 | 8 | 2 | 6 | 2 | 7 | 2 | 7 | 2 | 8 |
| 3 | 2 | 3 | 9 | 3 | 7 | 3 | 8 | 3 | 8 | 3 | 9 |
| 4 | 9 | 4 | 10 | 4 | 8 | 4 | 9 | 4 | 9 | 4 | 8 |
| 5 | 10 | 5 | 2 | 5 | 9 | 5 | 10 | 5 | 10 | 5 | 9 |
| 6 | 2 | 6 | 3 | 6 | 10 | 6 | 2 | 6 | 9 | 6 | 10 |
| 7 | 3 | 7 | 4 | 7 | 2 | 7 | 3 | 7 | 1 | 7 | 2 |
| 8 | 4 | 8 | 5 | 8 | 3 | 8 | 2 | 8 | 2 | 8 | 3 |
| 9 | 5 | 9 | 6 | 9 | 4 | 9 | 3 | 9 | 3 | 9 | 4 |
| 10 | 6 | 10 | 7 | 10 | 3 | 10 | 4 | 10 | 4 | 10 | 5 |
| 11 | 7 | 11 | 8 | 11 | 4 | 11 | 5 | 11 | 5 | 11 | 6 |
| 12 | 8 | 12 | 7 | 12 | 5 | 12 | 6 | 12 | 6 | 12 | 7 |
| 13 | 9 | 13 | 8 | 13 | 6 | 13 | 7 | 13 | 7 | 13 | 8 |
| 14 | 8 | 14 | 9 | 14 | 7 | 14 | 8 | 14 | 8 | 14 | 7 |
| 15 | 9 | 15 | 10 | 15 | 8 | 15 | 9 | 15 | 9 | 15 | 8 |
| 16 | 10 | 16 | 11 | 16 | 9 | 16 | 10 | 16 | 8 | 16 | 9 |
| 17 | 11 | 17 | 3 | 17 | 10 | 17 | 11 | 17 | 9 | 17 | 7 |
| 18 | 3 | 18 | 4 | 18 | 11 | 18 | 10 | 18 | 10 | 18 | 8 |
| 19 | 4 | 19 | 2 | 19 | 3 | 19 | 11 | 19 | 8 | 19 | 6 |
| 20 | 2 | 20 | 3 | 20 | 11 | 20 | 9 | 20 | 6 | 20 | 6 |
| 21 | 3 | 21 | 4 | 21 | 8 | 21 | 7 | 21 | 7 | 21 | 7 |
| 22 | 4 | 22 | 1 | 22 | 10 | 22 | 8 | 22 | 8 | 22 | 7 |
| 23 | 5 | 23 | 4 | 23 | 8 | 23 | 9 | 23 | 9 | 23 | 8 |

| STYCZEŃ | |
|---|---|
| 24 | 13 |
| 25 | 5 |
| 26 | 6 |
| 27 | 4 |
| 28 | 5 |
| 29 | 6 |
| 30 | 7 |
| 31 | 8 |

| LUTY | |
|---|---|
| 24 | 5 |
| 25 | 12 |
| 26 | 4 |
| 27 | 5 |
| 28 | 6 |
| 29 | 7 |

| MARZEC | |
|---|---|
| 24 | 9 |
| 25 | 10 |
| 26 | 2 |
| 27 | 3 |
| 28 | 4 |
| 29 | 5 |
| 30 | 5 |
| 31 | 6 |

| KWIECIEŃ | |
|---|---|
| 24 | 10 |
| 25 | 11 |
| 26 | 3 |
| 27 | 4 |
| 28 | 4 |
| 29 | 5 |
| 30 | 6 |

| MAJ | |
|---|---|
| 24 | 1 |
| 25 | 11 |
| 26 | 11 |
| 27 | 3 |
| 28 | 4 |
| 29 | 5 |
| 30 | 6 |
| 31 | 7 |

| CZERWIEC | |
|---|---|
| 24 | 7 |
| 25 | 8 |
| 26 | 8 |
| 27 | 9 |
| 28 | 9 |
| 29 | 1 |
| 30 | 8 |

| LIPIEC | |
|---|---|
| 1 | 11 |
| 2 | 1 |
| 3 | 11 |
| 4 | 3 |
| 5 | 4 |
| 6 | 5 |
| 7 | 6 |
| 8 | 7 |
| 9 | 8 |
| 10 | 9 |
| 11 | 10 |
| 12 | 9 |
| 13 | 10 |
| 14 | 11 |
| 15 | 9 |
| 16 | 10 |
| 17 | 11 |
| 18 | 3 |
| 19 | 4 |
| 20 | 5 |
| 21 | 6 |
| 22 | 6 |
| 23 | 7 |
| 24 | 5 |
| 25 | 6 |
| 26 | 7 |
| 27 | 8 |
| 28 | 8 |
| 29 | 7 |
| 30 | 6 |
| 31 | 5 |

| SIERPIEŃ | |
|---|---|
| 1 | 10 |
| 2 | 11 |
| 3 | 3 |
| 4 | 4 |
| 5 | 5 |
| 6 | 6 |
| 7 | 7 |
| 8 | 8 |
| 9 | 9 |
| 10 | 8 |
| 11 | 9 |
| 12 | 10 |
| 13 | 8 |
| 14 | 9 |
| 15 | 10 |
| 16 | 11 |
| 17 | 3 |
| 18 | 4 |
| 19 | 5 |
| 20 | 5 |
| 21 | 6 |
| 22 | 7 |
| 23 | 5 |
| 24 | 6 |
| 25 | 7 |
| 26 | 9 |
| 27 | 8 |
| 28 | 7 |
| 29 | 8 |
| 30 | 5 |
| 31 | 4 |

| WRZESIEŃ | |
|---|---|
| 1 | 11 |
| 2 | 3 |
| 3 | 4 |
| 4 | 5 |
| 5 | 6 |
| 6 | 7 |
| 7 | 8 |
| 8 | 7 |
| 9 | 8 |
| 10 | 9 |
| 11 | 7 |
| 12 | 8 |
| 13 | 9 |
| 14 | 10 |
| 15 | 11 |
| 16 | 3 |
| 17 | 4 |
| 18 | 4 |
| 19 | 5 |
| 20 | 6 |
| 21 | 7 |
| 22 | 5 |
| 23 | 6 |
| 24 | 1 |
| 25 | 9 |
| 26 | 8 |
| 27 | 7 |
| 28 | 8 |
| 29 | 11 |
| 30 | 4 |

| PAŹDZIERNIK | |
|---|---|
| 1 | 11 |
| 2 | 3 |
| 3 | 4 |
| 4 | 5 |
| 5 | 6 |
| 6 | 5 |
| 7 | 6 |
| 8 | 7 |
| 9 | 5 |
| 10 | 6 |
| 11 | 7 |
| 12 | 8 |
| 13 | 9 |
| 14 | 10 |
| 15 | 11 |
| 16 | 11 |
| 17 | 3 |
| 18 | 4 |
| 19 | 5 |
| 20 | 6 |
| 21 | 7 |
| 22 | 1 |
| 23 | 9 |
| 24 | 8 |
| 25 | 7 |
| 26 | 6 |
| 27 | 7 |
| 28 | 1 |
| 29 | 4 |
| 30 | 11 |
| 31 | 1 |

| LISTOPAD | |
|---|---|
| 1 | 3 |
| 2 | 4 |
| 3 | 5 |
| 4 | 4 |
| 5 | 5 |
| 6 | 6 |
| 7 | 4 |
| 8 | 5 |
| 9 | 6 |
| 10 | 7 |
| 11 | 8 |
| 12 | 9 |
| 13 | 10 |
| 14 | 10 |
| 15 | 11 |
| 16 | 3 |
| 17 | 4 |
| 18 | 5 |
| 19 | 6 |
| 20 | 5 |
| 21 | 1 |
| 22 | 9 |
| 23 | 8 |
| 24 | 7 |
| 25 | 6 |
| 26 | 7 |
| 27 | 1 |
| 28 | 4 |
| 29 | 7 |
| 30 | 1 |

| GRUDZIEŃ | |
|---|---|
| 1 | 3 |
| 2 | 2 |
| 3 | 3 |
| 4 | 4 |
| 5 | 2 |
| 6 | 3 |
| 7 | 4 |
| 8 | 5 |
| 9 | 6 |
| 10 | 7 |
| 11 | 8 |
| 12 | 8 |
| 13 | 9 |
| 14 | 10 |
| 15 | 11 |
| 16 | 3 |
| 17 | 4 |
| 18 | 5 |
| 19 | 4 |
| 20 | 12 |
| 21 | 8 |
| 22 | 7 |
| 23 | 6 |
| 24 | 5 |
| 25 | 6 |
| 26 | 9 |
| 27 | 3 |
| 28 | 6 |
| 29 | 9 |
| 30 | 3 |
| 31 | 4 |

## II. ASTROCYKLE MIESIĘCZNE

Badanie astrocykli pozwala ściślej wyodrębnić określone wpływy odziaływające w obrębie każdego miesiąca. Korzystać będziemy z astrologicznej symboliki planet, według dni tygodnia, które dany cykl rozpoczynają.

Przede wszystkim, trzeba wyliczyć klucz miesiąca wybranego do analizy. To właśnie klucz miesięczny określa astrocykle.

Klucz ten wyliczamy według drogi życia i wybranego do analizy miesiąca uniwersalnego.

Dla Margaret drogą życia jest 6. Za bazę wyliczeń przyjmijmy styczeń 2002 r., czyli miesiąc uniwersalny MU = 2002 + 1 = 5.

Należy rozpocząć od drogi życia 6, aby otrzymać miesiąc uniwersalny 5.

Inaczej mówiąc, jaką liczbę muszę dodać do 6, żeby otrzymać 5? Muszę dodać 8 do 6, ponieważ:

6 + 8 = 14 = 4 + 1 = 5.

Kluczem miesięcznym jest liczba, którą dodajemy do drogi życia (drogą wyliczeń numerologicznych).

Kluczem miesięcznym dla Margaret, w styczniu 2002 r., jest 8.

Potem bardzo łatwo już otrzymać kolejne klucze miesięczne:

8 w styczniu, 9 w lutym, 1 w marcu, 2 w kwietniu itd.

Klucz miesięczny pozwala już na pewną interpretację, którą trzeba połączyć z miesiącem osobistym (patrz następne po metodologii tabele interpretacji). Klucz miesięczny pozwala również wyliczyć miesięczne astrocykle (lub cykle powstałe na podstawie planety władajacej pierwszym dniem cyklu).

Klucz miesięczny jest podstawą, która pozwoli nam określić astrocykle miesiąca.

Ósemka odpowiada dla Margaret następującym dniom stycznia 2002 r.:

8–17–26 (wszystkim dniom miesiąca dającym 8)

A oto klucze i odpowiadające im dni miesiąca:

Klucz 1 : 1 – 10 – 19 – 28
Klucz 2 : 2 – 11 – 20 – 29
Klucz 3 : 3 – 12 – 21 – 30
Klucz 4 : 4 – 13 – 22 – 31
Klucz 5 : 5 – 14 – 23
Klucz 6 : 6 – 15 – 24

Klucz 7 : 7 – 16 – 25
Klucz 8 : 8 – 17 – 26
Klucz 9 : 9 – 18 – 27

Gdy dni zostały już określone, trzeba odnaleźć dni tygodnia odpowiadające każdej z tych liczb, miesiąc po miesiącu.

Każdy dzień tygodnia odpowiada jednej planecie:

PONIEDZIAŁEK = Księżyc
WTOREK = Mars
ŚRODA = Merkury
CZWARTEK = Jowisz
PIĄTEK = Wenus
SOBOTA = Saturn
NIEDZIELA = Słońce

Powróćmy do stycznia 2002 r. dla Margaret Robinson:

Kluczem miesięcznym jest 8.

Astrocyklami stycznia 2002 r. są:

Mars od 8 do 16 stycznia włącznie (ponieważ 8 wypada we wtorek = Mars).

Jowisz od 17 do 25 stycznia włącznie (ponieważ 17 wypada w czwartek = Jowisz).

Saturn od 26 stycznia do 8 lutego włącznie (ponieważ 26 wypada w sobotę = Saturn).

Dlaczego do 8 lutego? Dlatego, że następny astrocykl rozpoczyna się 9 lutego (również w sobotę).

Następnie należy skorzystać z tablic interpretacji astrocykli:

– interpretacja wpływu planet
– interpretacja połączenia wpływu planetarnego/miesiąc osobisty.

# III. PODCYKLE URODZINOWE I ASTROCYKLE

## 1) PODCYKLE URODZINOWE: CYKLE TONY

**1–1:** Niestabilny okres. Trzeba dobrze wszystko przemyśleć.
**1–2:** Zgoda. Początek współpracy lub związku.
**1–3:** Radykalna i gwałtowna zmiana.

**1–4:** Ważna decyzja: praca lub uczucia. Nowa posada.
**1–5:** Zmiana i jej korzystne skutki.
**1–6:** Związek, małżeństwo, spotkanie. Zaangażowanie, wybór.
**1–7:** Odizolowanie, opóźnienie. Spadek energii. Adaptacja; czasem dużo szczęśliwych okoliczności.
**1–8:** Finanse, dobra posada. Kariera. Postęp.
**1–9:** Podróż. Zagranica. Życie towarzyskie. Drobne nieprzyjemności.
**2–1:** Związek. Przeprowadzka. Ugoda, kontrakt. Awans.
**2–2:** Oczekiwanie. Rozczarowanie. Ostrożność i cierpliwość.
**2–3:** Zrealizowane plany. Sukces. Podróże.
**2–4:** Dość uciążliwe okoliczności. Stopniowa adaptacja.
**2–5:** Korzystna zmiana. Wymagany duży wysiłek.
**2–6:** Rodzina. Ognisko domowe. Związek. Interesy w nieruchomościach. Ogólnie bardzo dobra aura.
**2–7:** Niespodziewana pomoc. Pozytywna zmiana.
**2–8:** Zyski. Zarządzanie wydatkami. Porządki w finansach. Konstruktywne plany.
**2–9:** Wzloty i upadki. Napięcie w życiu prywatnym. Dobre prognozy w życiu zawodowym, za granicą.
**3–1:** Dobry dla interesów, nieruchomości. Małżeństwo. Rodzina. Budowanie.
**3–2:** Korzystny okres. Podróże, przedsięwzięcia. Uwaga na rozkojarzenie i nierozwagę.
**3–3:** Pozytywne zakończenie. Unikać niepotrzebnego niepokoju.
**3–4:** Zwrot i dalszy rozwój (w życiu prywatnym i zawodowym).
**3–5:** Dokumenty, przedsięwzięcia, interesy. Dobra energia.
**3–6:** Ułatwiona realizacja planów: życie uczuciowe, rodzinne, zmiana miejsca zamieszkania. Tworzenie.
**3–7:** Wzrost, intensywny rozwój (przeważnie w interesach).
**3–8:** Polepszenie sytuacji finansowej. Unikać pochopnych decyzji i spekulacji.
**3–9:** Napięcie. Ryzyko błędnej oceny lub złego posunięcia. Umiar i ostrożność.
**4–1:** Patrz 1–4.
**4–2:** Patrz 2–4.
**4–3:** Nowe możliwości, trzeba jednak działać rozsądnie i dokładnie.
**4–4:** Uciążliwy kontekst, oczekiwanie. Nie trzeba robić więcej, niż to konieczne.

**4–5:** Ważne decyzje: dom, ognisko domowe, kariera. Sprawa sądowa. Uwaga na zdrowie.
**4–6:** Kształtowanie własnej pozycji. Rodzina, praca, dom. Dzieci. Starsze osoby.
**4–7:** Przeczekać zły okres, obserwować, lecz nie działać. Spadek energii.
**4–8:** Konkretne decyzje. Jeśli sytuacja jest trafnie oceniona, korzystny rozwój.
**4–9:** Wybór: posada lub kariera. Czasem oczekiwane zakończenie projektu.
**5–1:** Zmiana, pomoc w rozwoju. Legalne interesy.
**5–2:** Nieoczekiwany rozwój. Poza tym niestabilność, opóźnienie. Dbać o kontakty z bliskimi.
**5–3:** Patrz 3–5.
**5–4:** Patrz 4–5. Unikać spraw sądowych i wszelkich sporów.
**5–5:** Zmiany. Pozytywne niespodzianki i dobre wiadomości. Spotkania. Kreatywność.
**5–6:** Zmiana statusu: prywatnego lub zawodowego. Przeprowadzka. Obowiązki.
**5–7:** Podsumowanie, aktualizacja. Napięcia w związku. Unikać impulsywności.
**5–8:** Przyrost majątku lub finansów. Uwaga na formę.
**5–9:** Przeszkody i emocje do opanowania. Ostrożność w każdej dziedzinie.
**6–1:** Spotkanie, związek. Lub wątpliwości. Obowiązki.
**6–2:** Poprawa na każdym polu. Wyjaśnienie sytuacji. Czasem plany w sferze emocjonalnej.
**6–3:** Możliwe zakończenie trudnej sytuacji. Konieczna zmiana. Podsumowanie.
**6–4:** Niezbędna stabilność, w przeciwnym wypadku wstrzymać się od działania. Zorganizować się.
**6–5:** Napięcie w interesach. Niepewność i nerwowość. Czas na podsumowanie.
**6–6:** Decydujący zwrot; przełomowy okres.
**6–7:** Niespodziewane komplikacje. Niestabilność. W każdej dziedzinie trzeba czuwać nad podstawami.
**6–8:** Korzystny rozwój finansowy i materialny. Dobry interes w nieruchomościach. Pogodzić, złagodzić konflikt.
**6–9:** Nadwrażliwość. Napięcia w związku. Niezbędna dyplomacja.

**7–1:** Ostrożność w każdej dziedzinie. Ryzyko poważnych przeszkód, opóźnień. Trzeba ograniczyć się do minimum.
**7–2:** Wzloty i upadki pod kontrolą. Burzliwe związki. Angażować się z dużą ostrożnością.
**7–3:** Dobry do nauki, pracy, twórczości. Należy zwalczyć roztrzepanie i niecierpliwość.
**7–4:** Stagnacja. Można porozmyślać, zająć się sobą. Dobry cykl, żeby zadbać o siebie.
**7–5:** Interesy, podróże, nowości. Niestabilne życie uczuciowe.
**7–6:** Patrz 6–7.
**7–7:** Odprężenie, jeśli to możliwe. Podróże, zmiany miejsca pobytu. Uwaga na samopoczucie.
**7–8:** Interesy: transakcje, nieruchomości, inwestycje. Przypływ pieniędzy.
**7–9:** Ogólne zamieszanie. Ponowne rozważenie sytuacji. Decyzja.
**8–1:** Możliwość rozwoju. Finanse. Być może napięcie emocjonalne.
**8–2:** Realizacja bieżących planów. Pomoc lub wsparcie osób bliskich. Ostrożnie z nowościami.
**8–3:** Patrz 3–8.
**8–4:** Bardzo ważny okres w interesach. Niezbędna dobra organizacja.
**8–5:** Patrz 5–8.
**8–6:** „Walka" w pracy, interesach i finansach. Potrzeba wyrozumiałości.
**8–7:** Patrz 7–8.
**8–8:** Korzystna wibracja dla kariery i finansów.
**8–9:** Kłopoty organizacyjne i poważne utrudnienia. Analizować sytuację na bieżąco i dbać o równowagę.
**9–1:** Napięcia i niezgoda wymagające natychmiastowego wyjaśnienia. Poza tym, zakończenie wcześniej rozpoczętego działania.
**9–2:** Sprawy do wyjaśnienia: spór lub nieporozumienie. Zastój.
**9–3:** Przeszkody w planach osobistych. Dobra komunikacja.
**9–4:** Jeśli brakuje organizacji, zahamowania lub opóźnienia.
**9–5:** Patrz 5–9.
**9–6:** Napięcia w związku, spadek energii. Wskazana ugodowość.
**9–7:** Pracowity cykl, ale też zapowiedź lepszej koniunktury.
**9–8:** Możliwe kłopoty w pracy i finansach, czasem korzystne rozwiązanie.
**9–9:** Kruche związki; niejasna lub konfliktowa sytuacja. Rozstanie może być najlepszym wyjściem.

## 2) KLUCZ MIESIĘCZNY

**Klucz 1:** Indywidualne punkt zwrotny. Nowe możliwości, jednak lepiej polegać przede wszystkim na samym sobie. Rozwój lub początek nowej działalności.

**Klucz 2:** Opóźnienia lub przeszkody. Podróże, negocjacje, przypływ pieniędzy. Wzmożone napięcie emocjonalne, szczególnie u kobiet. Konieczny odpoczynek. Ryzyko zdrady lub kradzieży.

**Klucz 3:** Miłość, przyjaźń. Pomyślny rozwój, udane kontakty, lecz również ryzyko rozkojarzenia. Trzeba czuwać nad związkami, również intymnymi, i współpracą. Możliwe komplikacje.

**Klucz 4:** Konstrukcja i punkt zwrotny. Uporządkowanie spraw finansowych. Interesy, kontrakt. Czasem jest to trudny okres dla działalności w konkretnej dziedzinie. Oczekiwanie.

**Klucz 5:** Zmiana. Podróż. Kontakt z młodymi ludźmi. Kreatywność. Ryzyko napięć w związku i nieprzyjemnych incydentów.

**Klucz 6:** Obowiązki. Życie rodzinne, korzystny rozwój. Możliwy nowy związek lub ponowna weryfikacja zaistniałej sytuacji. Awans, reklama. Prezenty, pieniądze. Podejrzliwość i nadmierna uczuciowość. Przesadna krytyka.

**Klucz 7:** Zwolnienie rytmu, refleksyjność. Niespodziewana zmiana, czasem pozytywna. Podróż. Spadek lub wzrost autorytetu. Ostrożność w działaniu. Możliwe rozczarowania.

**Klucz 8:** Interesy. Szczęśliwe zakończenie. Zysk lub strata finansowa. Życie praktyczne. Nieprzyjemne sprawy z przeszłości mogą powrócić.

**Klucz 9:** Bogate życie towarzyskie. Podróże. Czasem nowe przedsięwzięcie lub ważna decyzja. Kontakty z zagranicą lub publicznością. Ryzyko zaniechania planów i zahamowań w życiu prywatnym.

## 3) ASTROCYKLE MIESIĘCZNE

***Cykl Słońca:*** Wsparcie. Przychylność. Ułatwione kontakty z bankiem, hierarchia, administracja. Inicjatywy. Poszukiwanie pracy i kapitałów.

**Słońce w 1:** Postęp. Energia.

**w 2:** Kontakty. Wsparcie. Chwiejna energia.

**w 3:** Sukces. Zmiany w finansach.

**w 4:** Opóźnienie. Zbyt mało wsparcia. Spadek energii.

**w 5:** Dobra komunikacja. Rozwaga.
**w 6:** Pomyślny dla życia uczuciowego. Spotkanie.
**w 7:** Sprzyjające okoliczności. Dzieła. Pomysły.
**w 8:** Spory w interesach. Sport (współzawodnictwo).
**w 9:** Szerokie kontakty. Życie prywatne dość napięte.

*Cykl Księżyca:* Kontakty. Podróże. Zatrudnienie i odwiedziny. Ryzyko związane z nowym interesem, finansami lub sprawiedliwością.
**Księżyc w 1:** Niestabilność. Ostrożnie ze zobowiązaniami.
**w 2:** Hipokryzja i niejasności.
**w 3:** Korzystne zmiany miejsca pobytu. Ugoda lub wsparcie.
**w 4:** Zmęczenie. Kruche projekty. Napięcia. Unikać ryzyka.
**w 5:** Kontakty. Podróż. Unikać impulsywności.
**w 6:** Niestabilna sfera emocjonalna. Spotkanie. Przyjaźń.
**w 7:** Niespodziewane kontakty. Praca umysłowa.
**w 8:** Napięcia związane z finansami. Unikać podróży.
**w 9:** Twórczość. Podróż. Nauka. Życie towarzyskie.

*Cykl Marsa:* Energia. Sport. Konkurencja. Debaty i apelacje, egzekucja wierzytelności. Ryzyko walki, kłótni, załamania, złego samopoczucia.
**Mars w 1:** Energia, unikać arogancji.
**w 2:** Możliwe spory, szczególnie z kobietami.
**w 3:** Postęp. Zysk i wydatki.
**w 4:** Opóźnienia. Powolne tempo realizacji.
**w 5:** Unikać spekulacji i dbać o związki. Spadek energii.
**w 6:** Napięte życie prywatne. Plotki. Dyskrecja mile widziana.
**w 7:** Niespodziewane wydarzenia. Unikać ryzyka i perfekcjonizmu.
**w 8:** Siła. Korzystna przy współzawodnictwie. Postęp.
**w 9:** Działanie pełne pasji, uwaga na impulsywność.

*Cykl Merkurego:* Pisać. Planować. Tworzyć nowe projekty. Nauka. Interesy, podróże, reklama, zawody twórcze, dziennikarstwo. Ryzyko zdrady lub kradzieży. Unikać transakcji nieruchomościami i nowych angaży.
**Merkury w 1:** Zmiana miejsca pobytu. Dobre pomysły. Udane związki.
**w 2:** Podróż. Niepewne otoczenie.
**w 3:** Zmysł praktyczny. Polepszenie sytuacji finansowej.
**w 4:** Opóźnienia. Kłopoty w związku. Rozkojarzenie.
**w 5:** Sukces literacki. Transakcje. Przyjaźń.

**w 6:** Nowe relacje w życiu uczuciowym. Spotkanie. Twórczość.
**w 7:** Podróż. Komunikacja. Nerwowość.
**w 8:** Ryzyko spekulacji. Nieudana podróż.
**w 9:** Podróże. Transakcje. Ryzyko pomyłki.

***Cykl Jowisza:*** Ekspansja. Dobry kontakt z sędziami, adwokatami, finansistami, urzędnikami. Transakcje i spekulacje. Związki uczuciowe. Ryzyko przesady i nadużycia. Unikać wszelkich niejasnych interesów.
**Jowisz w 1:** Postęp. Możliwe zyski. Pomyślny rozwój.
**w 2:** Energia. Podróż. Ugoda (szczególnie z kobietami).
**w 3:** Zyski. Postęp.
**w 4:** Interesy w nieruchomościach. Opóźnienia. Napięta sytuacja finansowa.
**w 5:** Jasne perspektywy. Polepszenie. Dobra transakcja.
**w 6:** Satysfakcja z życia rodzinnego, uczuciowego. Dzieci.
**w 7:** Skuteczność. Spełnienie. Życie towarzyskie.
**w 8:** Sukces finansowy. Uważać na sprawiedliwość.
**w 9:** Ochrona. Zagranica. Życie zewnętrzne. Uważać na porządek.

***Cykl Wenus:*** Miłość. Przyjaźń. Odpoczynek. Spełnienie w sztuce i estetyce. Handel, usługi, nieruchomości. Dom. Współpraca w związku. Unikać spraw w sądzie. Uwaga na błędną ocenę sytuacji.
**Wenus w 1:** Odpoczynek. Miłość. Twórczość. Sukces.
**w 2:** Niestabilność w związkach. Zawieranie przyjaźni podczas podróży.
**w 3:** Równowaga. Satysfakcja z rodziny, dzieci. Wydatki.
**w 4:** Napięta sytuacja rodzinna, z dziećmi. Opóźnienia w realizacji planów.
**w 5:** Przyjemne podróże. Życie towarzyskie.
**w 6:** Przyjaźń. Prezenty. Uczucia. Ulga.
**w 7:** Życie publiczne. Napięte życie prywatne.
**w 8:** Ryzyko niezgody. Spadek energii.
**w 9:** Kreatywność. Kontakty zewnętrzne. Uciążliwości w życiu prywatnym.

***Cykl Saturna:*** Osoby starsze. Sędziowie. Wytężona praca. Badania, nauka. Opóźnienia. Spadek energii. Zdrowie. Unikać interesów i kwestii finansowych.
**Saturn w 1:** Kłopoty. Niewystarczające wsparcie. Opóźnienia.
**w 2:** Kłopoty z otoczeniem, kobietami, w podróży.

**w 3:** Niepokój spowodowany finansami. Korzystny dla nieruchomości.
**w 4:** Stabilizacja. Nowe mieszkanie. Oczekiwanie.
**w 5:** Pracochłonna transakcja. Papiery, uciążliwa biurokracja.
**w 6:** Kłopoty rodzinne, obowiązki. Zahamowana kreatywność.
**w 7:** Plan połączenia działań. Kontakty zewnętrzne. Napięte życie prywatne.
**w 8:** Przeszkody. Kłopoty prawne. Unikać impulsywności.
**w 9:** Spełnienie. Praca z grupą lub za granicą. Badania.

## KOMENTARZ

### 1 – CYKLE TONY MARGARET ROBINSON W 2002 ROKU

Do 12 marca Margaret napotka praktyczne lub organizacyjne problemy. Powinna dostosować się do nowej sytuacji i postarać się odzyskać równowagę (cykl ton 8–9). Wiadomo również, że rozwija się pomyślnie (cykl 26 – sektor III).

Od 12 marca do 12 lipca może spodziewać się dalszej poprawy w życiu zawodowym i finansach (cykl ton 8–3).

Od 12 lipca do 12 listopada zostaną zakłócone plany osobiste, ale ułatwiona będzie komunikacja ze światem zewnętrznym (cykl ton 9–3). Niestety, ogólna aura zapowiada stagnację i uciążliwość (cykl 27, sektor II).

Po 12 listopada może liczyć na zakończenie rozpoczętych spraw, musi jednak rozwiązać ewentualne nieporozumienia (cykl ton 9–1).

### 2 – ASTROCYKLE W STYCZNIU 2002 R.

Już od stycznia dużo uwagi wymagają liczne interesy i życie praktyczne. Przeszkody i nieprzyjemne sprawy z przeszłości mogą powrócić (klucz 8). Musi wywiązać się z obowiązków i odpowiedzialności. Ważne jest również osiągnięcie równowagi (miesiąc osobisty 6).

Od 8 do 16 stycznia Margaret musi stawić czoło napięciom i trudnym kontaktom z otoczeniem. Zalecana jest dyskrecja (Mars w miesiącu 6).

Od 17 do 25 stycznia aura jest wyraźnie korzystniejsza: satysfakcja osobista oraz z najbliższego otoczenia (Jowisz w miesiącu 6).

Po 26 stycznia przewidywane są obowiązki rodzinne i zahamowanie w realizacji planów (Saturn w miesiącu 6).

Rozdział 6

# ZWIĄZEK–WSPÓŁPRACA

Porozumienie między dwiema osobami analizujemy na różnych płaszczyznach, w zależności od liczb osobistych i cyklicznych.

## I. ANALIZA ZWIĄZKU

– **Liczby duszy:** porównanie liczb duszy pozwala na zbadanie szans prawdziwego porozumienia: serca i duszy.

– **Liczby wyrazu:** harmonia lub jej brak, między dwoma charakterami: porozumienie w codziennym życiu.

– **Liczby realizacji zewnętrznej:** dziedzina fizycznego (seksualnego) porozumienia oraz harmonii, zawodowej i materialnej.

– **Drogi życia:** pomyślny, lub nie, rozwój i szanse na trwałość.

– **Punkty zwrotne na drodze życia:** jak wyżej, ale w ściśle określonym czasie.

– **Lata osobiste:** jak wyżej, na cały rok. Ciekawe będzie porównanie roku spotkania lub ślubu.

## II. ANALIZA WSPÓŁPRACY

– **Liczby duszy:** prawdziwa sympatia, współpraca, zrozumienie.

– **Liczby wyrazu:** zgodność charakterów i jakość porozumienia.

– **Liczby realizacji zewnętrznej:** kompatybilność potencjałów i działania. Bardzo ważne w wypadku pracy grupowej.

– **Drogi życia:** możliwość wspólnego rozwoju i szanse na trwałość.

– **Punkty zwrotne na drodze życia:** jak wyżej, w określonym czasie.

– **Lata osobiste:** jak wyżej, przez cały rok. Ciekawe jest porównanie kilku lat współpracy.

Poniższe tabele porównawcze liczb mają na celu ułatwienie zbadania różnych dziedzin porozumienia. Dwa przykłady, wyjaśniające działanie metody, zostaną rozwinięte na końcu tego rozdziału.

## 1) TABELA PORÓWNAWCZA LICZB DUSZY

| | 1 | 2 | 3 | 4 | 5 | 6 | 7 | 8 | 9 |
|---|---|---|---|---|---|---|---|---|---|
| 1 | + | = | + | = | + | = | + | = | + |
| 2 | = | + | + | + | – | + | = | + | = |
| 3 | + | + | + | = | + | + | + | = | + |
| 4 | = | + | = | + | = | + | + | + | – |
| 5 | + | – | + | = | + | – | + | = | + |
| 6 | = | + | + | + | – | + | = | – | + |
| 7 | + | = | + | + | + | = | + | = | = |
| 8 | = | + | = | + | = | = | = | + | = |
| 9 | + | = | + | – | + | + | = | = | + |

## 2) TABELA PORÓWNAWCZA LICZB WYRAZU I REALIZACJI ZEWNĘTRZNEJ

| | 1 | 2 | 3 | 4 | 5 | 6 | 7 | 8 | 9 |
|---|---|---|---|---|---|---|---|---|---|
| 1 | – | = | + | = | + | = | + | = | + |
| 2 | = | – | + | + | – | + | = | + | = |
| 3 | + | + | = | = | + | + | + | = | + |
| 4 | = | + | = | – | = | + | + | + | – |
| 5 | + | – | + | = | = | – | + | = | + |
| 6 | = | + | + | + | – | – | = | = | + |
| 7 | + | = | + | + | + | = | – | = | = |
| 8 | = | + | = | + | = | = | = | – | = |
| 9 | + | = | + | – | + | + | = | = | – |

### 3) TABELA PORÓWNAWCZA LICZB DROGI ŻYCIA, PUNKTÓW ZWROTNYCH I LAT OSOBISTYCH

| | **1** | **2** | **3** | **4** | **5** | **6** | **7** | **8** | **9** |
|---|---|---|---|---|---|---|---|---|---|
| **1** | – | = | + | = | + | = | + | + | + |
| **2** | = | – | + | = | – | + | = | + | = |
| **3** | + | + | = | = | + | + | = | = | + |
| **4** | = | = | = | – | = | + | + | = | – |
| **5** | + | – | + | = | = | – | + | = | + |
| **6** | = | + | + | + | – | – | = | = | + |
| **7** | + | = | = | + | + | = | = | = | = |
| **8** | + | + | = | = | = | = | = | – | = |
| **9** | + | = | + | – | + | + | = | = | – |

## III. PRZYKŁADY

### 1) ZWIĄZEK: MARGARET ROBINSON I PHILIPPE LEGRAND (URODZONY 8 GRUDNIA 1961)

<table>
<tr><td colspan="8">= **7**</td><td colspan="8">= 21 = **3**</td><td></td><td>DŻ:<br>1+9+6+7+<br>+0+7+1+2<br>= 33 = **6**</td></tr>
<tr><td></td><td>1</td><td></td><td></td><td>1</td><td></td><td>5</td><td></td><td></td><td>6</td><td></td><td>9</td><td></td><td></td><td>6</td><td></td><td>= 28 = 10 = 1</td><td></td></tr>
<tr><td>M</td><td>A</td><td>R</td><td>G</td><td>A</td><td>R</td><td>E</td><td>T</td><td>R</td><td>O</td><td>B</td><td>I</td><td>N</td><td>S</td><td>O</td><td>N</td><td>= 81 = 9</td><td></td></tr>
<tr><td>4</td><td></td><td>9</td><td>7</td><td></td><td>9</td><td></td><td>2</td><td>9</td><td></td><td>2</td><td></td><td>5</td><td>1</td><td></td><td>5</td><td>= 53 = 8</td><td></td></tr>
<tr><td colspan="8">= 31 = 4</td><td colspan="8">= 22 = 4</td><td></td><td></td></tr>
</table>

1998 (31 l)

<table>
<tr><td>Cykl:</td><td>7</td><td>7</td><td>3</td><td></td><td>RO</td></tr>
<tr><td></td><td></td><td colspan="2"></td><td></td><td>2002</td></tr>
<tr><td>Punkt zwrotny:</td><td>1</td><td colspan="2">8</td><td></td><td>5</td></tr>
</table>

30 l 39 l

1997 ↑ 2006

| = 23 = **5** | | | | | | | | = **6** | | | | | | | | DŻ: 1+9+6+1+1 +2+0+8 = 28 = 10 = **1** |
|---|---|---|---|---|---|---|---|---|---|---|---|---|---|---|---|---|
| | | 9 | | 9 | | | 5 | | 5 | | | 1 | | | = 29 = **11** = **2** | |
| P | H | I | L | I | P | P | E | L | E | G | R | A | N | D | = 89 = 17 = **8** | |
| 7 | 8 | | 3 | | 7 | 7 | | 3 | | 7 | 9 | | 5 | 4 | = 60 = **6** | |
| = 32 = **5** | | | | | | | | = 28 = 10 = **1** | | | | | | | | |

1988 (27 l)

| | | | | | |
|---|---|---|---|---|---|
| Cykl: | **3** | **8** | **8** | | RO |
| | | | | | 2002 |
| Punkt zwrotny: | **2** | **7** | **7** | | 6 |

35 l 44 l

1996 ↑ 2005

- Liczby duszy 1 i 2: neutralne.
- Liczby wyrazu 9 i 8: neutralne.
- Liczby realizacji zewnętrznej 8 i 6: neutralne.
- Drogi życia 6 i 1: neutralne.
- Punkty zwrotne (w 2002 r.) 8 i 7: neutralne.
- Lata osobiste 2002 r., 5 i 6: niezgodne.

## KOMENTARZ

Porównanie wykazuje większość relacji neutralnych, a tylko jedną niezgodną. Numerologia nie określa intensywności uczuć między osobami, dlatego możemy stwierdzić, że w tym wypadku dochodzi do partnerskiego porozumienia, a uciążliwe aspekty pozostają na drugim planie. Wibracje roczne są oczywiście mniej znaczące niż wibracje życiowe.

## OBJAŚNIENIA

Przy badaniu porozumienia w związku należy przede wszystkim zwracać uwagę na liczby duszy, potem na drogi życia, następnie na liczby wyrazu i realizacji zewnętrznej, a wreszcie na punkty zwrotne i lata osobiste.

## 2) WSPÓŁPRACA: MARGARET ROBINSON I GISELE BERTON (PANIEŃSKIE NAZWISKO; URODZONA 22 SIERPNIA 1958 R.)

| = 7 | | | | | | | | = 21 = **3** | | | | | | | | | DŻ: 1+9+6+7+ +0+7+1+2 = 33 = **6** |
|---|---|---|---|---|---|---|---|---|---|---|---|---|---|---|---|---|---|
| | 1 | | | 1 | | 5 | | | 6 | | 9 | | | 6 | | = 28 = 10 = **1** | |
| M | A | R | G | A | R | E | T | R | O | B | I | N | S | O | N | = 81 = **9** | |
| 4 | | 9 | 7 | | 9 | | 2 | 9 | | 2 | | 5 | 1 | | 5 | = 53 = **8** | |
| = 31 = **4** | | | | | | | | = 22 = **4** | | | | | | | | | |

1998 (31 l)

| | | | | | |
|---|---|---|---|---|---|
| Cykl: | **7** | **7** | **3** | | RO |
| | | | | | 2002 |
| Punkt zwrotny: | **1** | 8 | | | 5 |

30 l 39 l

1997 ↑ 2006

| = 19 = 10 = **7** | | | | | | = 11 = **2** | | | | | | | | DŻ: 1+9+5+8+ +0+8+2+2 = 35 = **8** |
|---|---|---|---|---|---|---|---|---|---|---|---|---|---|---|
| | 9 | | 5 | | 5 | | | 5 | | | 6 | | = 30 = **3** | |
| G | I | S | È | L | E | | B | E | R | T | O | N | = 59 = 14 = **5** | |
| 7 | | 1 | | 3 | 0 | | 2 | | 9 | 2 | | 5 | = 29 = **11**= **2** | |
| = 11 = **2** | | | | | | = 18 = **9** | | | | | | | | |

1987 (29 l)

| | | | | | | |
|---|---|---|---|---|---|---|
| Cykl: | **8** | **8** | **4** | **4** | | RO |
| | | | | | | 2002 |
| Punkt zwrotny: | **3** | **9** | **9** | **3** | | 5 |

37 l 46 l

1995 ↑ 2004

- Liczby duszy 1 i 3: zgodne.
- Liczby wyrazu 9 i 5: zgodne.
- Liczby realizacji zewnętrznej 8 i 2: zgodne.
- Drogi życia 6 i 8: neutralne.
- Punkty zwrotne (w 2002 r.) 8 i 3: neutralne.
- Lata osobiste 2002 r., 5 i 7: zgodne.

### KOMENTARZ

Ogólnie dominuje zgodność, współpraca nie będzie więc kłopotliwa. Jeśli rozpocznie się ona w 2002 r., początki będą bardzo dobre.

### OBJAŚNIENIA

Przy badaniu porozumienia w życiu zawodowym należy przede wszystkim zwracać uwagę na liczby wyrazu, potem realizacji zewnętrznej, następnie na drogi życia i liczby duszy, a wreszcie na punkty zwrotne i lata osobiste.

Rozdział 7

# SZCZĘŚCIE

Każdy człowiek ma swoje szczęście: istnieje ono na różnych płaszczyznach i każdy odbiera je inaczej.

Szczęśliwcem jest ten, kto odnosi sukcesy w miłości, finansach, zrobił karierę, cieszy się dobrym zdrowiem. Takich ludzi spotyka się bardzo rzadko i nie zawsze są rozpromienieni. Uznajmy szczęście za coś pozytywnego i radosnego, towarzyszącego nam w życiu w ważnych i decydujących chwilach.

Takimi chwilami są ważne projekty, przeprowadzki, zmiana pracy, małżeństwo z ukochaną osobą. Pamiętajmy też o tych, którzy próbują szczęścia w grach: jest ich o wiele więcej, niż się nam wydaje.

We wszystkich tych sprawach możemy pomóc szczęściu, wybierając odpowiednie liczby i daty. Działając w odpowiednim momencie, pod wpływem korzystnych liczb, odniesiecie sukces i wygracie. Jest jednak ważny warunek: wasze najgłębsze wewnętrzne przekonania muszą być zgodne z pragnieniem sukcesu i bogactwem. W przeciwnym wypadku należy, zanim spróbujecie szczęścia, doprowadzić do takiej właśnie sytuacji.

# I. SZCZĘŚCIE DLA GRACZY

## 1) TABELA KORZYSTNYCH MIESIĘCY (NIE TYLKO W GRZE) WEDŁUG LAT OSOBISTYCH

| MIES. / RO | STY | LUT | MAR | KWI | MAJ | CZE | LIP | SIE | WRZ | PAŹ | LIS | GRU |
|---|---|---|---|---|---|---|---|---|---|---|---|---|
| **1** | = | ++ | – | ++ | = | + | + | = | = | = | ++ | – |
| **2** | ++ | – | ++ | + | + | + | = | + | – | ++ | – | ++ |
| **3** | – | ++ | + | + | + | = | = | = | ++ | – | ++ | + |
| **4** | ++ | + | + | + | = | = | + | ++ | – | ++ | + | + |
| **5** | + | + | + | = | + | + | ++ | – | ++ | + | + | + |
| **6** | + | + | = | = | + | ++ | – | ++ | + | + | + | = |
| **7** | ++ | = | + | + | ++ | – | ++ | + | + | ++ | = | + |
| **8** | + | + | + | ++ | – | ++ | + | + | + | + | + | + |
| **9** | = | – | ++ | – | ++ | + | + | + | = | = | – | ++ |

+ dobry, ++ doskonały, – unikać, = neutralny

## 2) TABELA KORZYSTNYCH DNI (NIE TYLKO W GRZE) WEDŁUG MIESIĄCA OSOBISTEGO

| DZIEŃ / MIES. | 1 10–19 28 | 2 11–20 29 | 3 12–21 30 | 4 13–22 31 | 5 14–23 | 6 15–24 | 7 16–25 | 8 17–16 | 9 18–27 |
|---|---|---|---|---|---|---|---|---|---|
| **1** | = | ++ | – | ++ | + | + | + | = | = |
| **2** | ++ | – | ++ | + | + | + | = | = | – |
| **3** | – | ++ | + | + | + | = | = | + | ++ |
| **4** | ++ | + | + | + | = | = | = | ++ | – |
| **5** | + | + | + | = | = | = | ++ | – | ++ |
| **6** | + | + | = | + | = | ++ | – | ++ | + |
| **7** | + | = | = | + | ++ | – | ++ | + | + |
| **8** | = | = | + | ++ | – | ++ | + | + | + |
| **9** | = | – | ++ | – | ++ | + | + | + | = |

Tak jak na poprzedniej tabeli, wychodzimy od kolumny poziomej, żeby dojść do pionowej. Rok osobisty pozwoli na odnalezienie miesięcy, a osobisty miesiąc – dni. Korzystny dzień 4 oznacza, że możecie zagrać 4, 13 (4), 22 (4) i 31 (4).

Znacie już korzystne dni i miesiące. Trzeba więc tylko zagrać pozytywnymi liczbami, będącymi w harmonii z osobistymi miesiącami. Zawsze najlepiej grać własnymi, kultowymi liczbami.

### 3) TABELA SZCZĘŚLIWYCH W GRACH LICZB, WEDŁUG MIESIĄCA OSOBISTEGO

| **Miesiąc osobisty** | *Liczby korzystne do gry* |
|---|---|
| **1** | 2, 9, 11, 18, 27, 34, 43 |
| **2** | 2, 3, 11, 12, 29, 38, 48 |
| **3** | 3, 4, 12, 13, 21, 31, 49 |
| **4** | 4, 6, 14, 15, 24, 31, 42 |
| **5** | 5, 6, 8, 15, 17, 26, 35 |
| **6** | 6, 7, 10, 16, 19, 37, 46 |
| **7** | 3, 7, 8, 12, 17, 39, 48 |
| **8** | 5, 9, 14, 18, 23, 35, 45 |
| **9** | 1, 7, 9, 16, 19, 25, 37 |

## II. SZCZĘŚCIE W ŻYCIU CODZIENNYM

Prezentujemy tabelę porównawczą liczb i różnych stron praktycznego życia:

- Projekty i dokumenty oznaczone są zwykle liczbami; jeśli są to litery, można je zaszyfrować (patrz tabela odpowiedników z rozdziału 8). Następnie wystarczy sprowadzić sumę do liczby z przedziału od 1 do 9.
- Tablice rejestracyjne samochodów: jak wyżej.
- Numery kont bankowych, pocztowych lub kart kredytowych: jak wyżej.
- Numery ulicy lub całe adresy: jak wyżej.
- Numery telefonu: korzystamy z całego numeru, wraz z prefiksami.

**Tabela praktycznego zastosowania według liczb**

| Liczby | Dokumenty projekty | Rejestracja samochodów | Numer konta karty kredytowej | Adres numer ulicy | Numer telefonu |
|---|---|---|---|---|---|
| **1** | ++ | ++ | ++ | + | + |
| **2** | – | = | – | + | + |
| **3** | + | + | + | + | ++ |
| **4** | – | – | = | = | – |
| **5** | + | ++ | ++ | + | + |
| **6** | = | – | = | ++ | + |
| **7** | + | + | + | = | = |
| **8** | + | = | ++ | + | + |
| **9** | ++ | + | = | = | = |

Zalecane jest wybieranie osobistego miesiąca i dnia w związku z planami lub projektami, które pragniecie zrealizować. W tym celu skorzystajcie z rozdziału 4, gdzie możecie odnaleźć wasze osobiste lata, miesiące i dni, po czym przejdźcie do rozdziału 8.

Rozdział 8

# PRAKTYCZNE TABELE

Pierwsze tabele dotyczą badań rocznych:
- Odnalezienie roku osobistego bez wyliczeń: według dnia i miesiąca zsumowanych i uproszczonych w przedziale od 1 do 9, wybierając rok badania (od 2000 do 2020).
- Odnalezienie miesiąca osobistego bez wyliczeń: według roku osobistego.
- Odnalezienie dnia osobistego bez wyliczeń: według miesiąca osobistego.
- Tabela miesiąca, ze wszystkimi dniami osobistymi i odpowiadającymi im dniami kalendarzowymi.

Następne tabele ułatwiają odnalezienie tematów numerologicznych:
- tabela liczb odpowiadających literom;
- tabela długości cykli drogi życia, według liczby drogi życia;
- tabela czasu oddziaływania punktów zwrotnych, według liczby drogi życia;
- tabela zgodności między liczbami osobistymi (badanie różnych liczb osobistych i ich połączenia z drogą życia);
- tabela zgodności między liczbami cyklicznymi (badanie zgodności cykli i punktów zwrotnych z drogą życia);
- tabela 12 sektorów według wieku (okresy roczne, przed i po urodzinach);
- czysty grafik (badanie osobowości, drogi życia, badanie roczne);
- tabela przypominająca wyliczenia i działania do wykonania.

# I. TABELA POMAGAJĄCA ODNALEŹĆ ROK OSOBISTY

Według liczby rozwoju (rozdział 1), czyli liczby powstałej po zsumowaniu dnia i miesiąca urodzin i sprowadzeniu jej do przedziału od 1 do 9.

| | **1** | **2** | **3** | **4** | **5** | **6** | **7** | **8** | **9** |
|---|---|---|---|---|---|---|---|---|---|
| 2000 | 3 | 4 | 5 | 6 | 7 | 8 | 9 | 1 | 2 |
| 2001 | 4 | 5 | 6 | 7 | 8 | 9 | 1 | 2 | 3 |
| 2002 | 5 | 6 | 7 | 8 | 9 | 1 | 2 | 3 | 4 |
| 2003 | 6 | 7 | 8 | 9 | 1 | 2 | 3 | 4 | 5 |
| 2004 | 7 | 8 | 9 | 1 | 2 | 3 | 4 | 5 | 6 |
| 2005 | 8 | 9 | 1 | 2 | 3 | 4 | 5 | 6 | 7 |
| 2006 | 9 | 1 | 2 | 3 | 4 | 5 | 6 | 7 | 8 |
| 2007 | 1 | 2 | 3 | 4 | 5 | 6 | 7 | 8 | 9 |
| 2008 | 2 | 3 | 4 | 5 | 6 | 7 | 8 | 9 | 1 |
| 2009 | 3 | 4 | 5 | 6 | 7 | 8 | 9 | 1 | 2 |
| 2010 | 4 | 5 | 6 | 7 | 8 | 9 | 1 | 2 | 3 |
| 2011 | 5 | 6 | 7 | 8 | 9 | 1 | 2 | 3 | 4 |
| 2012 | 6 | 7 | 8 | 9 | 1 | 2 | 3 | 4 | 5 |
| 2013 | 7 | 8 | 9 | 1 | 2 | 3 | 4 | 5 | 6 |
| 2014 | 8 | 9 | 1 | 2 | 3 | 4 | 5 | 6 | 7 |
| 2015 | 9 | 1 | 2 | 3 | 4 | 5 | 6 | 7 | 8 |
| 2016 | 1 | 2 | 3 | 4 | 5 | 6 | 7 | 8 | 9 |
| 2017 | 2 | 3 | 4 | 5 | 6 | 7 | 8 | 9 | 1 |
| 2018 | 3 | 4 | 5 | 6 | 7 | 8 | 9 | 1 | 2 |
| 2019 | 4 | 5 | 6 | 7 | 8 | 9 | 1 | 2 | 3 |
| 2020 | 5 | 6 | 7 | 8 | 9 | 1 | 2 | 3 | 4 |

## II. TABELA POMAGAJĄCA ODNALEŹĆ MIESIĄC OSOBISTY

Miesiące osobiste łatwo odnaleźć dzięki latom osobistym znajdującym się w kolumnie poziomej.

| | **1** | **2** | **3** | **4** | **5** | **6** | **7** | **8** | **9** |
|---|---|---|---|---|---|---|---|---|---|
| STYCZ. | 2 | 3 | 4 | 5 | 6 | 7 | 8 | 9 | 1 |
| LUTY | 3 | 4 | 5 | 6 | 7 | 8 | 9 | 1 | 2 |
| MARZ. | 4 | 5 | 6 | 7 | 8 | 9 | 1 | 2 | 3 |
| KWIEC. | 5 | 6 | 7 | 8 | 9 | 1 | 2 | 3 | 4 |
| MAJ | 6 | 7 | 8 | 9 | 1 | 2 | 3 | 4 | 5 |
| CZERW. | 7 | 8 | 9 | 1 | 2 | 3 | 4 | 5 | 6 |
| LIPIEC | 8 | 9 | 1 | 2 | 3 | 4 | 5 | 6 | 7 |
| SIERP. | 9 | 1 | 2 | 3 | 4 | 5 | 6 | 7 | 8 |
| WRZES. | 1 | 2 | 3 | 4 | 5 | 6 | 7 | 8 | 9 |
| PAŹDZ. | 2 | 3 | 4 | 5 | 6 | 7 | 8 | 9 | 1 |
| LISTOP. | 3 | 4 | 5 | 6 | 7 | 8 | 9 | 1 | 2 |
| GRUDZ. | 4 | 5 | 6 | 7 | 8 | 9 | 1 | 2 | 3 |

## III. TABELA POMAGAJĄCA ODNALEŹĆ DZIEŃ OSOBISTY

Odnajdujemy nasz osobisty miesiąc (poziomo), po czym szukamy w kolumnie pionowej dnia kalendarzowego. Dla 17 np. jest to okienko 8–17–26.

| | **1** | **2** | **3** | **4** | **5** | **6** | **7** | **8** | **9** |
|---|---|---|---|---|---|---|---|---|---|
| 1 • 10–19–28 | 2 | 3 | 4 | 5 | 6 | 7 | 8 | 9 | 1 |
| 2 • 11–20–29 | 3 | 4 | 5 | 6 | 7 | 8 | 9 | 1 | 2 |
| 3 • 12–21–30 | 4 | 5 | 6 | 7 | 8 | 9 | 1 | 2 | 3 |
| 4 • 13–22–31 | 5 | 6 | 7 | 8 | 9 | 1 | 2 | 3 | 4 |
| 5 • 14–23 | 6 | 7 | 8 | 9 | 1 | 2 | 3 | 4 | 5 |
| 6 • 15–24 | 7 | 8 | 9 | 1 | 2 | 3 | 4 | 5 | 6 |
| 7 • 16–25 | 8 | 9 | 1 | 2 | 3 | 4 | 5 | 6 | 7 |
| 8 • 17–26 | 9 | 1 | 2 | 3 | 4 | 5 | 6 | 7 | 8 |
| 9 • 18–27 | 1 | 2 | 3 | 4 | 5 | 6 | 7 | 8 | 9 |

# IV. MIESIĘCZNA TABELA DNI OSOBISTYCH W POŁĄCZENIU Z DNIAMI KALENDARZOWYMI

| MIESIĄC OSOBISTY: | | | | | ROK: | | RO:<br>+ MO:<br>= essentia |
|---|---|---|---|---|---|---|---|
| 1 | 2 | 3 | 4 | 5 | 6 | 7 | |
| 8 | 9 | 10 | 11 | 12 | 13 | 14 | |
| 15 | 16 | 17 | 18 | 19 | 20 | 21 | |
| 22 | 23 | 24 | 25 | 26 | 27 | 28 | |
| 29 | 30 | 31 | | | | | |

*Przykład Margaret Robinson: styczeń 2002 r.*

| MIESIĄC OSOBISTY:<br>6 | | | | | ROK:<br>2002 | | RO = 5<br>MO = 6<br>essentia<br>= 5 + 6 = 11/2 |
|---|---|---|---|---|---|---|---|
| 1<br>**7** | 2<br>**8** | 3<br>**9** | 4<br>**1** | 5<br>**2** | 6<br>**3** | 7<br>**4** | |
| 8<br>**5** | 9<br>**6** | 10<br>**7** | 11<br>**8** | 12<br>**9** | 13<br>**1** | 14<br>**2** | |
| 15<br>**3** | 16<br>**4** | 17<br>**5** | 18<br>**6** | 19<br>**7** | 20<br>**8** | 21<br>**9** | |
| 22<br>**1** | 23<br>**2** | 24<br>**3** | 25<br>**4** | 26<br>**5** | 27<br>**6** | 28<br>**7** | |
| 29<br>**8** | 30<br>**9** | 31<br>**1** | | | | | |

# V. TABELA LICZB ODPOWIADAJĄCYCH LITEROM

| 1 | 2 | 3 | 4 | 5 | 6 | 7 | 8 | 9 |
|---|---|---|---|---|---|---|---|---|
| A | B | C | D | E | F | G | H | I |
| J | K | L | M | N | O | P | Q | R |
| S | T | U | V | W | X | Y | Z | |

## VI. TABELA DŁUGOŚCI CYKLI DROGI ŻYCIA (WEDŁUG LICZBY DROGI ŻYCIOWEJ)

| DROGA ŻYCIA | PIERWSZY CYKL | DRUGI CYKL |
|---|---|---|
| 1 | Od 0 do 27 lat | Od 27 do 54 lat |
| 2 (11) | Od 0 do 26 lat | Od 26 do 53 lat |
| 3 | Od 0 do 25 lat | Od 25 do 52 lat |
| 4 (22) | Od 0 do 24 lat | Od 24 do 60 lat |
| 5 | Od 0 do 32 lat | Od 32 do 59 lat |
| 6 | Od 0 do 31 lat | Od 31 do 58 lat |
| 7 | Od 0 do 30 lat | Od 30 do 57 lat |
| 8 | Od 0 do 29 lat | Od 29 do 56 lat |
| 9 | Od 0 do 28 lat | Od 28 do 55 lat |

## VII. TABELA CZASU ODDZIAŁYWANIA PUNKTÓW ZWROTNYCH

| DROGA ŻYCIA | POCZĄTEK 1. I KONIEC 2. PUNKTU ZWROTNEGO | KONIEC 2. I POCZĄTEK 3. PUNKTU ZWROTNEGO | KONIEC 3. I POCZĄTEK 4. PUNKTU ZWROTNEGO |
|---|---|---|---|
| 1 | 35 lat | 44 lata | 53 lata |
| 2 (11) | 34 lata | 43 lata | 52 lata |
| 3 | 33 lata | 42 lata | 51 lat |
| 4 (22) | 32 lata | 41 lat | 50 lat |
| 5 | 31 lat | 40 lat | 49 lat |
| 6 | 30 lat | 39 lat | 48 lat |
| 7 | 29 lat | 38 lat | 47 lat |
| 8 | 28 lat | 37 lat | 46 lat |
| 9 | 27 lat | 36 lat | 45 lat |

## VIII. TABELA ZGODNOŚCI MIĘDZY LICZBAMI OSOBISTYMI

| | 1 | 2 | 3 | 4 | 5 | 6 | 7 | 8 | 9 |
|---|---|---|---|---|---|---|---|---|---|
| 1 | + | = | + | = | + | = | + | = | + |
| 2 | = | + | + | + | – | + | = | + | = |
| 3 | + | + | + | = | + | + | + | = | + |
| 4 | = | + | = | + | = | + | + | + | – |
| 5 | + | – | + | = | + | – | + | = | + |
| 6 | = | + | + | + | – | + | = | = | + |
| 7 | + | = | + | + | + | = | + | = | = |
| 8 | = | + | = | + | = | = | = | + | = |
| 9 | + | = | + | – | + | + | = | = | + |

## IX. TABELA ZGODNOŚCI MIĘDZY LICZBAMI CYKLICZNYMI

| | 1 | 2 | 3 | 4 | 5 | 6 | 7 | 8 | 9 |
|---|---|---|---|---|---|---|---|---|---|
| 1 | – | – | + | – | + | – | + | + | + |
| 2 | – | – | + | SM –<br>MAT + | – | SM +<br>MAT – | SM –<br>MAT + | + | – |
| 3 | + | + | – | – | + | + | = | = | + |
| 4 | – | SM –<br>MAT + | – | – | – | + | + | – | – |
| 5 | + | – | + | – | + | – | + | + | + |
| 6 | + | SM +<br>MAT – | + | + | – | – | = | SM –<br>MAT + | + |
| 7 | – | SM –<br>MAT + | = | + | + | = | = | – | – |
| 8 | – | + | = | – | – | SM –<br>MAT + | – | – | –<br>+ |
| 9 | + | – | + | + | + | + | + | ± | – |

+ Zgodność; – Niezgodność; = Neutralne; ± Zgodność i niezgodność; SM Stosunki międzyludzkie i związki uczuciowe; MAT Konkretne, materialne aspekty, interesy, kariera

# X. TABELA 12 ROCZNYCH SEKTORÓW (WEDŁUG WIEKU)

| SEKTORY | WIEK | | | | | | | |
|---|---|---|---|---|---|---|---|---|
| **I** | 0–1 | 12–13 | 24–25 | 36–37 | 48–49 | 60–61 | 72–73 | 84–85 |
| **XII** | 1–2 | 13–14 | 25–26 | 37–38 | 49–50 | 61–62 | 73–74 | 85–86 |
| **XI** | 2–3 | 14–15 | 26–27 | 38–39 | 50–51 | 62–63 | 74–75 | 86–87 |
| **X** | 3–4 | 15–16 | 27–28 | 39–40 | 51–52 | 63–64 | 75–76 | 87–88 |
| **IX** | 4–5 | 16–17 | 28–29 | 40–41 | 52–53 | 64–65 | 76–77 | 88–89 |
| **VIII** | 5–6 | 17–18 | 29–30 | 41–42 | 53–54 | 65–66 | 77–78 | 89–90 |
| **VII** | 6–7 | 18–19 | 30–31 | 42–43 | 54–55 | 66–67 | 78–79 | 90–91 |
| **VI** | 7–8 | 19–20 | 31–32 | 43–44 | 55–56 | 67–68 | 79–80 | 91–92 |
| **V** | 8–9 | 20–21 | 32–33 | 44–45 | 56–57 | 68–69 | 80–81 | 92–93 |
| **IV** | 9–10 | 21–22 | 33–34 | 45–46 | 57–58 | 69–70 | 81–82 | 93–94 |
| **III** | 10–11 | 22–23 | 34–35 | 46–47 | 58–59 | 70–71 | 82–83 | 94–95 |
| **II** | 11–12 | 23–24 | 35–36 | 47–48 | 59–60 | 71–72 | 83–84 | 95–96 |

# XI. PODSUMOWANIE

- *Badanie osobowości*

IMIĘ

...|...|...|...|...|...|...|...|...|...|...|...|...|...|...|...|...|...|=

NAZWISKO

...|...|...|...|...|...|...|...|...|...|...|...|...|...|...|...|...|...|=

SAMOGŁOSKI

...|...|...|...|...|...|...|...|...|...|...|...|...|...|...|...|...|...|=

SPÓŁGŁOSKI

...|...|...|...|...|...|...|...|...|...|...|...|...|...|...|...|...|...|=

SKŁADNIKI

| 1 | 2 | 3 |
|---|---|---|
| 4 | 5 | 6 |
| 7 | 8 | 9 |

| | | |
|---|---|---|
| | | |
| | | |

Dzień:

Liczba rozwoju:

• *Badanie drogi życia*

DROGA ŻYCIA
... | ... | ..... | =

| WYZWANIE | | |
|---|---|---|
| | | |
| | | |
| | | |

| PUNKT ZWROTNY | | | | | | | | | |
|---|---|---|---|---|---|---|---|---|---|
| | | | | | | | | | |
| | | | | | | | | | |
| | | | | | | | | | |
| 0-9 | 9-18 | 18-27 | 27-36 | 36-45 | 45-54 | 54-63 | 63-72 | 72-81 | 81-90 |

• *Badanie roczne*

RO (Rok osobisty):

| | | |
|---|---|---|
| Sektor: | | |
| Cykl: | | |
| Litera: | | |

Komentarz:

# XII. PRZYPOMNIENIE WYLICZEŃ I DZIAŁAŃ DO WYKONANIA

## 1) BADANIE OSOBOWOŚCI

– Szyfrowanie liter imienia, sumowanie i upraszczanie w przedziale od 1 do 9: liczba aktywna.
– Szyfrowanie liter nazwiska, sumowanie i upraszczanie w przedziale od 1 do 9: liczba dziedziczna.
– Sumowanie tych dwóch liczb: liczba wyrazu.

– Szyfrowanie samogłosek z imienia i nazwiska, sumowanie i upraszczanie w przedziale od 1 do 9: liczba duszy.

– Szyfrowanie spółgłosek z imienia i z nazwiska, sumowanie i upraszczanie w przedziale od 1 do 9: liczba realizacji zewnętrznej.

– Porządkowanie liczb odpowiadających literom 1, 2, 3 itd. i odnalezienie brakujących liczb: tabela składników.

– Dzień urodzenia.

– Sumowanie dnia i miesiąca urodzenia, uproszczenie w przedziale od 1 do 9: liczba rozwoju.

*Interpretacja (patrz rozdział 1)*

– Liczba wyrazu.
– Składniki: liczba aktywna i dziedziczna.
– Liczba duszy.
– Składniki: samogłoski imienia i nazwiska.
– Liczba realizacji zewnętrznej.
– Składniki: spółgłoski imienia i nazwiska.
– Zgodność między trzema głównymi liczbami: wyrazu, duszy i realizacji zewnętrznej (patrz tabela zgodności liczb).
– Badanie tabeli składników.
– Brakujące liczby.
– Dzień urodzenia.
– Liczba rozwoju.
– Synteza całości.

## 2) BADANIE DROGI ŻYCIA

– Sumowanie liczb daty urodzenia i upraszczanie w przedziale od 1 do 9: droga życia.

– Badanie zgodności między drogą życia a liczbami osobistymi, wyrazu, duszy, realizacji zewnętrznej.

– Zbadanie, czy droga życia ma odpowiadającą jej brakującą liczbę w tabeli składników.

– Zaznaczanie na grafiku 3 cykli i 4 punktów zwrotnych.

– Korzystanie z tabeli długości cykli według drogi życia.

– Wyliczanie cykli (3 składniki daty urodzenia uproszczone w przedziale od 1 do 9: miesiąc, dzień, rok).

– Wyliczanie 4 punktów zwrotnych według 3 cykli.

– Wyliczanie 3 wyzwań według 3 cykli, tym razem odejmując.
– Zgodność między cyklami, punktami zwrotnymi i drogą życia (tabela zgodności liczb cyklicznych).
– Zbadanie, czy cykl lub punkt zwrotny nie mają odpowiednika w brakujących liczbach. Podobnie z wyzwaniem (trzecie wyzwanie).
– Essentia cykl–droga życia i cykl–punkt zwrotny–droga życia, część po części.
– Sprawdzanie, czy główne wyzwanie odpowiada cyklowi lub punktowi zwrotnemu.

*Interpretacja (patrz rozdział 2)*

– Droga życia.
– Zależności między liczbami osobistymi.
– Brakująca liczba.
– Badanie cykli i punktów zwrotnych w przedziałach wiekowych.
– Cykl oddaje ogólną atmosferę. Warto zbadać zgodność z drogą życia. Opisać essentia. Punkt zwrotny wskazuje czynności do wykonania, rodzaj potrzebnych doświadczeń. Porównuje je z drogą życia. Opisuje pełną essentia danego okresu.
– Nowe aspekty do przemyślenia, jeśli cykl lub punkt zwrotny odpowiada brakującej liczbie (lekcja karmiczna).
– Badanie wyzwań. Zdrowie. Czy wyzwaniu odpowiada brakująca liczba (wyzwaniu głównemu)? Czy odzwierciedla ona cykl lub punkt zwrotny?
– Synteza poszczególnych okresów.

## 3) BADANIE ROCZNE

– Określić rok osobisty (wybrany rok + dzień + miesiąc urodzenia).
– Odnaleźć, w przewidzianej do tego celu tabeli, sektor przed i po urodzinach.
– Wyliczyć cykl urodzinowy dla wybranego roku (wybrany rok + rok urodzenia).
– Wskazać cykl po i przed urodzinami.
– Policzyć lata, według liter imienia i nazwiska, od urodzenia do wybranego do badania roku.
– Wskazać literę przed i po urodzinach.

*Interpretacja (patrz rozdział 3)*

– Opis roku osobistego.
– Sektor przed i po urodzinach.
– Cykl urodzinowy, przed i po urodzinach.
– Podcykle i ewentualnie cykle tony, dla bardziej zaawansowanych.
– Badanie litery przed i po urodzinach.
– Synteza: główne aspekty roku i syntetyczne badanie okresów przed i po urodzinach.

## 4) BADANIE MIESIĘCZNE I DZIENNE

– Wyliczyć miesiąc osobisty na podstawie roku osobistego (lub skorzystać z tabeli znajdującej się na początku rozdziału 8).

– Doszukać się współdziałania miesiąca osobistego i roku osobistego (tabela zgodności liczb cyklicznych).

– Wyliczyć essentia (zsumować) miesiąc osobisty/rok osobisty.

– W wypadku badania dnia wykonujemy te same przekształcenia, tylko essentia tworzymy, sumując trzy elementy: dzień osobisty + miesiąc osobisty + rok osobisty.

– Interpretujemy, korzystając z tabeli interpretacji z rozdziału 4.

Aneks

# PODLICZBY

Zanim uprościmy liczby do jednocyfrowych, otrzymujemy podcałości lub podliczby, które można interpretować. Dostarczają one czasem ciekawych elementów, objaśniających końcowy wynik. Jednak błędem byłoby przypisywanie im zbyt wielkiej wagi, gdyż mogłoby to doprowadzić do wypaczenia podstawowego znaczenia końcowej liczby.

Badanie zostało przeprowadzone na podliczbach od 10 do 22, na różnych płaszczyznach (liczby osobiste, drogi życia i essentia).

Liczba 1 pochodzi od 10, 19, 28, 37, 46, 55, 64, 73, 82, 91.

**28:** przeciwności, konkurencja. Dzięki ogromnemu wysiłkowi robimy postępy i udaje się nam narzucić własną wolę.

**37:** wsparcie, pomoc. Liczba wyrazu dla twórczości literackiej, grafiki, rysunku, wydawnictwa i kreacji.

**46:** sukces i postęp, ogromny wysiłek i przywództwo. Czasem kłopotliwe życie uczuciowe.

**55:** ruchliwość wymagająca poskromienia. Skrajne wzloty i upadki. Porażka i sukces. Niezbędne opanowanie.

**64:** obowiązki. Ryzyko złych wyborów lub niepewnych przedsięwzięć. Itd.

Liczba 2 pochodzi od 11, 20, 29, 38, 47, 56, 65, 74, 83, 92.

**29:** bardzo krucha emocjonalność. Przytłaczające związki. Sukces w kreatywnych przedsięwzięciach. Dobra liczba dla pisania.

**38:** dynamizm, lecz również wybuchowość. Niestabilna sytuacja finansowa. Wsparcie w kobietach.

**47:** pomyślny rozwój (najlepszy z 11/2). Pomysłowość i opanowanie. Ochrona.

**56:** korzystna wibracja dla interesów, komunikacji, sprzedaży. Siła ekspresji, magnetyzm. Napięcie w życiu prywatnym, kłótnie w związkach.
**65:** nerwowość do opanowania. Niecierpliwość. Dążenie do równowagi.
Itd.

Liczba 3 pochodzi od 12, 21, 30, 39, 48, 57, 66, 75, 84, 93.
**30:** dobra komunikacja. Ułatwienia. Twórczość i inspiracja. Unikać niejasnych interesów.
**39:** kreatywność i ekspansja w karierze i interesach. Rozczarowania w związkach, kłopoty w sferze emocjonalnej.
**48:** waleczność, czasem zakłócona równowaga. Spory, niezgoda, rozstania. Poczucie sprawiedliwości i rozsądek będą niezbędne, aby liczba stała się pozytywna.
**57:** podróże, korzystne transakcje, odkrycia (najbardziej niezależna z trójek). Częste wątpliwości, wahania. Czasem niekończące się spory i trudności ze punkt zwrotnym.
**66:** poświęcenie, przysługi. Dość uciążliwa liczba w sferze emocjonalnej, lecz inspirująca dla twórczości artystycznej lub zawodów społecznych.
Itd.

Liczba 4 pochodzi od 13, 22, 31, 40, 49, 58, 67, 76, 85, 94.
**31:** nic nie przychodzi łatwo. Sukces przyjdzie z czasem, wymaga dużej pracy.
**40:** przerażająca liczba z powodu kojarzonego z nią braku prywatności oraz ograniczeń: kwarantanna, 40 dni Jezusa na pustyni itd. W rzeczywistości jest to liczba wymagająca dojrzałości, odpoczynku, przygotowania do realizacji planów. Sukces przychodzi wolnym, ale pewnym krokiem. Czasem uczucie odizolowania.
**49:** ważne zmiany, powodujące czasem zupełną przemianę. Czasem brak wyczucia rzeczywistości i stabilności.
**58:** ryzyko finansowe, materialne. Spory, procesy, pertraktacje. Jeśli unikniesz pokusy spekulacji, postęp i rzeczywisty sukces. Trzeba również opanować niedbalstwo, impulsywność i skłonność do przesady.
**67:** rozwój z wieloma niespodziankami, nieoczekiwanymi zwrotami. Czuwać nad równowagą w każdej dziedzinie. Czasem, szczęście wewnętrzne.
Itd.

Liczba 5 pochodzi od 14, 23, 32, 41, 50, 59, 68, 77, 86, 95.
**23:** harmonijna wibracja. Olśnienie. Postęp. Charyzma. Sukces.

**32:** korzystny rozwój. Łatwość wysławiania się i dobra komunikacja.

**41:** opór materii. Zmiany zachodzą tylko samorzutnie. Przed przystąpieniem do działania dobrze jest wszystko przemyśleć i unikać przytłaczających i ograniczających więzi.

**50:** natchnienie. Zdolność przystosowania się do każdych warunków. Symbol szczęścia. Sukces z sztuce.

**59:** podróże, życie światowe, bogata komunikacja. Szerokie zainteresowania. Aby uniknąć ciągłej niestabilności, trzeba przede wszystkim zachować ostrożność. Ryzyko przesady.

**68:** życie obfitujące we wzloty i upadki, w każdej dziedzinie. Potrzeba stabilizacji.

Itd.

Liczba 6 pochodzi od 15, 24, 33, 42, 51, 60, 69, 78, 87, 96.

**24:** oddanie, czasem zbliżone do altruizmu. W każdym razie można spodziewać się obowiązków osobistych, rodzinnych i zawodowych. Na szczęście poczucie bezpieczeństwa.

**33:** harmonia, równowaga, opanowanie. Symbol miłości, rodziny. Obowiązki; sukces w kontaktach ze zbiorowością. Usługi.

**42:** silna wibracja uczuciowa, sentymentalna. Intensywność przeżyć. Albo angażujemy się całym sobą, albo wcale. Uczynność. Równowaga w sferze emocjonalnej jest życiową podstawą.

**51:** chwiejny i niestabilny rozwój. Kłopoty w związkach. Nieostrożność. Niezbędne opanowanie.

**60:** obowiązki w życiu prywatnym. Trudne wybory. Uciążliwa odpowiedzialność w każdej dziedzinie. Brak umiejętności współpracy, nie można wszystkim obarczać samego siebie.

**69:** burzliwe związki, trzeba unikać bójek. Skłonność do nadmiernych wymagań. Szczęście w kwestii materialnej.

Itd.

Liczba 7 pochodzi od 16, 25, 34, 43, 52, 61, 70, 79, 88, 97.

**25:** refleksje, analiza, praca intelektualna lub duchowa. Opieka, medycyna, zdrowie. Termin konkretnych realizacji. Zmiany i ponowne początki.

**34:** przeszkody, walka, blokady. Trzeba pracować precyzyjnie i planowo, polegać na sobie i wzbudzać zaufanie.

**43:** izolacja, z własnej woli lub z przymusu. Trudności z porozumiewaniem się, rozczarowania i kłopoty. Spełnienie w bardzo oryginalnych okolicznościach.

**52:** konfliktowe sytuacje i ryzyko niestabilności. Rywalizacja. Zazdrość. Konieczne jest wyjaśnienie sytuacji w każdej dziedzinie.

**61:** podliczba ta rokuje poprawę lub wyjaśnienie trudnej sytuacji. Dzięki pracowitości i obowiązkowości łatwiej jest osiągnąć sukces.

**70:** królewska droga 7. Badania, nauka. Więzi prowadzące do sukcesu, niezależnie od dziedziny.

Itd.

Liczba 8 pochodzi od 17, 26, 35, 44, 53, 62, 71, 80, 89, 98.

**26:** walka w życiu zawodowym i w środowisku. Należy osiągnąć równowagę w każdej dziedzinie, niczego nie można lekceważyć.

**35:** konstruktywna i ekspansywna wibracja. Unikać nieostrożności, rozkojarzenia i niedyskrecji. Sukces w finansach, twórczość; podróże.

**44:** sprzyja trwałemu sukcesowi. Solidność i siła. Doskonały zarówno dla kariery, jak i dla sfery emocjonalnej.

**53:** zmiany, podróże. Dokumenty, transakcje, legalne interesy. Należy walczyć z niestabilnością w każdej dziedzinie.

**62:** udane życie uczuciowe, punkt zwrotny w interesach lub sztuce. Ryzyko sporów i kłótni sprowokowanych przez drugą osobę.

**71:** pomimo wielu perypetii i przeszkód, całkowity sukces. Wytrwałość popłaca.

Itd.

Liczba 9 pochodzi od 18, 27, 36, 45, 54, 63, 72, 81, 90.

**27:** duże poświęcenie dla drugiego człowieka, obowiązki. Panować nad emocjami. Sukces w pracy. Duża kreatywność.

**36:** sukces, czasem popularność. Twórczość, podróże. Ważne projekty.

**45:** dość burzliwe życie uczuciowe. Zmiany. Sukces, jeśli działalność jest legalna, a sytuacja trafnie oceniona.

**54:** blokady rozwoju. Ostrożność w podejmowaniu zobowiązań. Trudności należy przyjmować z dużą elastycznością. Rozczarowania w kontaktach międzyludzkich.

**63:** harmonijny rozwój, trzeba jednak unikać nadmiernych obowiązków. Przed podejmowaniem zobowiązań należy dobrze wszystko przemyśleć.

**72:** wsparcie sprzyjające zarówno bogactwu, jak i udanym transakcjom. Długotrwała ekspansja. Uwaga na napięcia w życiu prywatnym.

Itd.